여기, 내가 그대로 있어요

여기, 내가 그대로 있어요

반소연

이진형

함유선

박상빈

현 정

여이진

와 이

감 성

목려니

해 니

이창현 고유출판사 대표

어떤 이야기는 누군가에게 기록을 시작할 수 있는 용기를 줍니다. 그것에는 명확한 공식이 없고, 정해진 소재가 없습니다. 대게는 이야기 속에서 확률적으로 존재하는 경험의 유사성이 용기를 가져다주는 듯합니다. 책 속에 적혀있는 열 개의 이야기 속에는, 누구나 한 번쯤 생각했던 고민부터, 작가 본인의 기민함과 예민함을 이용한 진득한 사유의 전개가 포함되어 있습니다. 사랑, 진로, 삶, 행복, 우울 등 우리의 일상을 틈틈이 차지하고 있는 단어와 함께 나아가는 시간이 되기를 바랍니다.

박정원 작가

　문득 확신하고 순식간에 씁니다. 적절한 조언, 진심 어린 응원, 시야를 넓히는 제안 등에서 하나이기만 해도 됩니다. 덕분에 막연히 바라던 걸 마침내 얻게 됩니다. 글을 쓴다는 건 이런 거라는 감탄, 미리 알고 부지런히 쓰는 사람이 있었다는 탄식, 이제야말로 나의 글은 시작될 거라는 환호. 이 다채로움은 표정에 묻어납니다. 얼마 안 가 살짝 놀랄 정도의 분량을 가져옵니다. 저는 이들에게 조금 더 성실해지라고 말합니다. 누가 시키지 않아도 크게 애쓰지 않아도 몰입해 글을 쓰겠다는 뜻입니다. 그런 마음의 상태가 닮은 사람들이 모였습니다. 어떤 대목은 기적을 해내었다고 믿습니다. 자세히 들여다보고 싶은 빛에서부터 온통 흔들리며 나아가기를 마침내 덮은 책을 다정히 어루만지기를 바라겠습니다.

| 차례 |

— 일러두기

책 집필에 참여한 작가 대부분은 자신의 글을 처음 세상으로 내보입니다. 출판사는 작가들의 원고에 큰 오탈자와 비문 정도에만 개입하였고, 그 외에는 자신의 문장이 그대로 세상에 나오는 즐거움을 느낄 수 있도록 개입하지 않았습니다.

반 소 연

나의 20대를

나

나는 누구인가. 나는 어떤 사람일까 끊임없이 고민하고 정의 내리기를 반복한다. 그럼에도 불구하고 정확한 정의를 내리지 못한 상태에 놓인 나는 어제와 오늘의 결정이 다르고, 이것이 나의 인생이라고 생각한다. 어제는 슬펐다가 오늘은 행복하고 내일은 어떨지 모르는 그런 인생. 그렇기 때문에 내일이 어떤 날일지 기대되고 기다려지는 것이 아닐까? 돌이켜보면 '학창 시절이 그리웠지, 유치원 때가 좋았지'라는 말을 달고 사는 우리들의 인생은 결국 모든 순간이 찬란했던 것이다. 수많은 어려움을 겪지만 결국엔 해피엔딩을 맞이하는 영화의 한 장면인 것처럼 말이다.

그래서 나는 찬란한 날들의 내 모습을 기록하는 글을 남기고자 글을 쓰게 되었다. 훗날에 돌이켜보면 그리워질 기억들을 글로 적어내며 '내 인생'이라는 영화의 한 장면을 만들어가는 것이 지금 내가 하는 일이다. 결국엔 해피엔딩을 맞이할 나에게. 2023년의 내가.

하고 싶은 게 많은 나에게,

하고 싶은 일이 있으면 뭐든지 해.

그게 성공이든 실패든지 결국은 인생에 있어서

거름이 되는 소중한 시간이잖아.

고민만 하다가 흘려보내는 시간이 더는 없었으면 해.

네가 선택한 길이 힘들면 쉬어도 돼,

힘들다면 견디라고 하지 않을게.

내가 항상 너의 편에 서있으면서 기다려줄게.

그러니 조급해하지 말고 천천히 너의 꽃 길을 완성시켜봐.

찬란한 너의 날들이 눈앞에 펼쳐지는 걸 상상하며 오늘을 살아보자.

그렇게 너의 예쁜 꽃을 함께 피워보자.

반소연

| 첫 번째 장면 |
사람에 울고

　나도 내가 누구인지, 어떤 사람인지 정의 내리지 못한 채 살아가는데, 나를 멋대로 판단하고 행동하는 사람들이 있다. '나'는 사람이 좋아서 모든 사람에게 친절하게 행동한다. 이를 고맙게 여기며 더 잘해주는 사람도 있는 반면 나를 호구로 보고 홀대하는 사람들도 있다. 나는 호구가 아니라 그냥 친절한 것뿐인데, 흔히들 착각을 한다.

　누구에겐 호구 같은 내 성격이 좋은 사람들을 곁에 두고, 그렇지 않은 사람들은 멀리할 수 있는 기회를 준다. 홀대를 받을 때면 상처도 많이 받고, 많이 울지만, 더 큰 불행을 막았으니 되었다며 금방 웃을 수 있는 날이 하루빨리 오길 빌어본다. 아직은 견뎌내기 힘들다. 마음의 상처는 절대 가벼운 것이 아니니까. 하지만 이거 하나는 확실하다. 사람의 행동은 언젠간 배로 돌아온다는 것. 착하게 살면 몇 배의 친절로 돌아오고, 잘못을 했다면 배로 불어나 화살이 되어 자신을 관통한다는 것. 그러니 내가 받은 상처와 스트레스의 몇 배를 당신은 돌려받게 될 것이라는 것. *어쩌면 이미 형벌을 받고 괴로워하며 이 글을 발견할지도.*

생일

생일에 외로움을 느낄 수 있다는 것은 평생 알고 싶지 않았다. 하지만 내게는 그런 생일이 한 번 있다. 유학 중 맞은 첫 생일날 자정, 텅 빈 방안에 나 혼자였다. 다른 사람들은 눈 뜰 때부터 눈을 감을 때까지 시끌벅적하게 생일을 축하하는데, 나는 내 울음소리만이 귓가에 맴돌았다. 친한 친구들과 함께 하루를 꽉 채울 수 있을 거란 기대를 안고 생일만을 기다렸다. 하지만 그것은 그저 나의 바람일 뿐이었다.

원래 생일이 이런 것인 줄 몰랐다. 알고 싶지도 않았다. 코로나로 인해 아무도 만나지 못한 그 해보다도 더 큰 공허를 느꼈다. '아, 나 이곳엔 친구 없구나.' 다행히도 그날 저녁 열린 나의 생일 파티에는 많은 사람들이 찾아와줬다. 하지만 가장 친하다고 생각했던 그들은 바쁘다며 자리를 빠르게 떠났다.

이럴 거면 내가 잘해주지 않았을 텐데, 이제 와서 후회해 봤자 이미 많은 세월이 흘렀고, 후회해도 소용없다. 그저 글감으로 그들을 삼을 뿐이다.

고마워 내 하나의 글감이 되어줘서 그리고 아까워 당신들에게 쏟은 내 마음.

반소연

| 두 번째 장면 |
사람에 웃고

왜 꼭 그런 날 있잖아. 하루 종일 일이 안 풀리는 날. 그날도 그런 날 중 하나였어. 악몽을 꾸고 나서 기분이 너무 안 좋아서 산책하러 갔는데 집으로 돌아가는 길에 비가 오더라.

그 순간에 우산을 가져다줄 사람 없이 혼자 비를 맞고 있는 게 슬펐어. 그래서 그날따라 비 오는 게 싫었어. 안 그래도 초라한 내 기분 더 초라하게 만드는 것 같아서. 그런데 네가 비를 맞으며 자전거를 타러 가자고 하더라. 처음에는 당황스러웠지만, 한편의 기대감에 부풀어 곧바로 수락했지.

비 오는 날에 자전거를 타보니, 이게 이렇게 재밌는 일인지 몰랐어. 항상 비가 오면 맞지 않기 위해 급급했던 날들이 우습게 비 맞는 게 재밌게 느껴지더라. 동시에 그동안은 우산을 씌워주는 사람이 필요했다면, 오늘부터는 너처럼 나와 함께 비를 맞아줄 수 있는 사람이 좋겠다는 생각이 들었다.

이렇게 비 오는 날을 안 좋은 날이라고 생각하기보다 비를 즐기고 비 오는 날을 기다리는 것처럼 인생에 있어 힘든 일이 생길 때 그것을 막기 위해 표정을 구기며 애를 쓰기 보다 즐기며 웃는다면 근심 걱정이 사라질 것이다. 이래서 다들 웃음은 만병통치약이라고 하나보다.

오늘도 너 덕분에 병 하나를 없애며 행복하게 살고 있구나.

소중한 꼬마친구

나에겐 작은 꼬마친구가 있다. 이 아이와 함께 있으면 세상이 무해하고 아름다운 곳처럼 느껴진다. 유학을 다녀와 오랫동안 보지 못하다가 오랜만에 너를 본 순간 내 세상이 회색에서 핑크빛이 되었다.

만나자마자 달려와 안아주면서 '언니 너무 보고 싶었어'라는 말을 하는 너의 모습을 보니 천사가 따로 없다고 생각했다. 그날 저녁 나란히 누운 방 안에서 네가 나에게 '언니가 너무 보고 싶어서 언니 생각을 하다 잠들었더니, 꿈속에서 같이 놀이공원에 있는 영화관에 가는 꿈을 꿨어. 근데 영화를 보다 영화가 재미없어서 언니 어깨에 기대어 잠들었어.'라고 속삭였다.

나의 깜깜했던 밤하늘이 꼬마친구의 환한 별빛으로 채워지는 순간이었다.
그 말을 들은 나는, 이 험한 세상 속 너의 순수함을 지킬 수 있는 방법이 있다면 어떤 방법을 쓰더라도 너를 지켜주겠다고 다짐했다. 너만 보면 바보 같은 웃음을 짓는 나의 모습이 어색할 때도 있지만, 네가 있기에 매 순간 행복을 느낄 수 있어.

나도 너에게 행복을 주는 사람이길 바라본다.

반소연

| 세 번째 장면 |
사랑에 울고

　가장 오랫동안 사귀었던 그와 헤어지고, 방에 돌아와 우리의 사진으로 만든 퍼즐을 부수면서 마음이 찢어지는 줄 알았다. 우리 이렇게 행복하게 웃던 때도 있었는데 어쩌다 여기까지 온 걸까? 추억이란 정말 무섭다. 싸웠던 이유를 또 잊게 만들고 너만 남기고 사라지니까. 또 이렇게 흔들리는 나를 친구가 말려줘서 정말 다행이라고 생각해. 친구가 '어차피 다시 만나도 또 헤어질 텐데 어차피 겪을 아픔이면 빨리 겪는 게 좋잖아'라고 말해주더라고. 너무 맞는 말이라 반박하고 싶어도 안 되더라. 내가 널 좋아한 시간만큼은 원 없이 사랑했고 비록 우리의 추억이 바로 사라지지는 않겠지만 천천히 열심히 잊어볼게. 내가 너를 사랑했던 것만큼 열심히 지울게.

　어디선가 그러더라, 잊겠다고 생각하면 더 생각난다고. 그래서 그런가 봐 자꾸 생각나. 옆에 네가 없는 게 어색해. 많은 걸 바라지 않아. *그저 옆에 있어줘.*

반소연

| 네 번째 장면 |

사랑에 웃고

나의 마시멜로 이야기

무엇인가에 집중할 때, 인간관계에 스트레스 받는 날, 퐁실퐁실한 마시멜로 하나를 베어 물면 언제 스트레스를 받았나 싶을 정도로 기분이 좋아진다. 나에겐 편의점에서 살 수 있는 마시멜로와 뱃살이 퐁실퐁실한 인간 마시멜로가 있다.

내 인간 마시멜로의 애정은 무지하게 커서 먹어도 줄지 않고, 매우 달아서 이 세상 모든 걱정을 없애 준다. 폭풍 같은 내 인생에 등장한 마시멜로는 내가 사랑하는 사람이다. 평소 생각이 많아 자주 혼란을 겪곤 하는데, 그럴 때마다 얘기를 차분히 다 들은 후 '다 괜찮아. 하고 싶은 대로 다 해. 시간은 많고 너는 아직 어리잖아. 그리고 내가 곁에 있잖아.'라고 말해주며 나 스스로 내면을 정리할 수 있게 응원해 준다. 그래서 내가 대단한 사람이라도 된듯한 기분에 걱정은 사라지고 다시 무언가를 시작할 원동력을 제공해 준다. K-장녀인 나는 엄마 아빠한테 잘 칭얼거리지 못했는데, 어떨 때는 엄마이자 아빠이고 친구이자 사랑하는 사람인 너에게는 자주 투정을 부린다.

이 사람은 내가 어떤 어려움을 겪어도 별거 아닌 것처럼 넘기고 위로해 준다. 매초 매 순간 떠오르는 고마운 내 영혼의 단짝. 행복한 일에는 함께 기뻐해 주고, 가끔은 꽃다발과 기나긴 고민 끝에 고른 선물을 들고 와 나를 행복하게 만든다. 종종 내 마음을 알아서 헤아려 주길 바라며 투정 부리는 나에게 인생의 선생님처럼 '네 마음은 네가 말하지 않으면 몰라. 하지만 말해주면 너의 마음에 들도록 노력할게'라는 말을 해주곤 했다. 감정을 스스로 표현하는 게 어려웠던 나를 내 감정과 주관을 뚜렷하게 말할 수 있게 용기를 북돋아 줬다. 예전엔 꾹꾹 눌러온 마음을 표출할 방법을 찾지 못해 술의 용기를 빌려 주변 사람들에게 얘기하곤 했다. 하지만 지금은 술이 없어도 가능하다. 몸과 마음을 건강하게 해주는 나의 마시멜로.

오늘도 너를 한 입 베어 물고 행복한 일이 생기길 고대한다. 어제도 오늘도 내일도 사랑해.

반소연

| 다섯 번째 장면 |
결국엔 누군가를 떠올리는

평소 별을 좋아하는 나는, 스무 살이 된 이후 매일 밤 까마득한 하늘 속 별빛을 찾아 나선다.

스무 살 초반, 한적한 공원에서 밤 산책을 하다 처음 별똥별을 보게 되었다. 그 아이가 별이 된 직후였다. 그 아이는 우리가 스무 살이 되던 해에 별이 되었다. 술 마시고 노는 일상이 전부였던 나와 내 친구들에게 인생이 무엇인지 생각하게 해준 친구다. 별똥별을 보고 있으니 왠지 예쁜 게 그 아이 같아 보였다. 나는 속으로 생각했다.

'아, 별이 되어 나에게 인사를 해주는구나. 고마워. 네가 그곳에서는 행복하길 바라. 그리고 이건 내 욕심이지만 나와 내 주변 사람들도 행복했으면 좋겠어. 나도 열심히 노력하고 있어. 하지만 세상이 내 마음대로 돌아가지 않을 때도 있으니 가끔은 네가 우리의 행운이 되어 우리에게 인사를 남겨줘. 오늘도 안녕'

그리고 4년이 지난 후, 친구와 유성우가 쏟아지는 밤하늘을 보러 갔다. 평소엔 특별할 거 없는 문이 닫힌 학교 뒷산에 있는 천문대로 올라가며 수많은 별똥별을 보았다. 그동안 힘들었던 나의 나날들이 한 번에 보상받는 듯했다.

그 순간만큼은 촌구석에 있는 우리 학교가 너무 고마웠다. 시골이기 때문에 별을 더 잘 볼 수 있었고, 덕분에 별똥별도 봤으니까. 내가 좋아하는 사람과 별똥별을 함께 볼 수 있어서 행복했다. 그리고 네가 생각나며 한편으론 서글펐다.

그날 본 작지만 이름 모를 별들아, 예쁜 하늘 속에서 열심히 빛내 주다가 마지막 가는 길마저도 아름답게 빛나며 우리 곁을 지켜줘서 고마워. 하늘에 있는 그 친구도 꼭 지켜주길 바라.

별똥별 덕분에 내일도, 내년도 기대가 되는 하루가 되었다.

반소연

| 여섯 번째 장면 |
언제나 행복을 찾는 인생

'내일'이란 웹툰을 정말 좋아하는데, 이유는 대사 하나하나가 너무 따뜻하고 정말 내일에 대해 많은 생각을 하게 만들기 때문이다. 하루하루가 살기 힘든 사람에겐 내일이 오지 않았으면 하지만, 소풍을 하루 앞둔 사람은 내일이 어서 오길 기다린다. 각자 다른 내일이 기다리고 있지만, 내일이 있어서 오늘도 살아가는 것이 아닐까? 내일이 어떤 날일지는 아무도 모르지만, 오늘을 열심히 살면 내일이 오고 또 그다음 날이 오고, 그렇게 반복하다 보면 매일매일 열심히 살고 있는 나의 모습을 발견하겠지. 그러다 보면 희망하는 것을 모두 다 이룬 내 모습도 볼 수 있을 거야.

내 인생을 내가 좋아하는 색으로 채우는 일. 그것만큼 어렵고도 힘든 게 또 있을까? 근데 난 내 세상이 핑크와 무지개색으로 가득 찼으면 좋겠어. 굳이 좋아하지 않는 색을 집어넣고 싶지 않아. 인생이 그렇잖아, 행복하기 위해 돈 벌고 좋아하는 사람을 만나고, 맛있는 걸 먹고.

그래서 난 내 행복을 0순위로 정했어. 그러다 보면 자동으로 얻어지는 게 돈과 명예 건강 그리고 사람 아닐까? 이제는 현실에 쫓기지 않을래. 매일 현실에 쫓기면 꿈은 언제 꾸고 이뤄.

마지막으로

사람에게 상처받지만 그럼에도 여전히 사람이 좋은 저는, 저를 포함한 모두가 행복한 세상이 오길 매일 기도해요. 그러니까 이 글을 읽는 모두도 매일이 행복했으면 좋겠어요. 저의 소중한 친구가 해준 말 중에 모두와 공유하고 싶은 말이 있어요.

'인생이 늘 행복할 수 없지만, 하루에 한 번 꼭 행복한 일이 생겼으면 좋겠다!'

매일이 행복한 인생을 만드는 것은 어렵죠. 하지만 하루에 한 번 행복한 일이 생기면 결국 우리의 인생은 항상 행복한 것이 아닐까요? 저는 오늘 좋아하는 아티스트의 음악을 들으며 이 글을 쓰고 있어서 행복해요. 이 글을 읽고 계신 당신은 오늘 뭐 때문에 행복하셨나요?

반소연

이진형

잃어버린 나를 찾아서

하나
'지금도 충분해'는 들리지 않아요

전자 바이올린 들고 전국 팔도 행사 누비며 분위기를 끌어올리는 공연을 했다. 라이브 연주에 퍼포먼스까지 선보이며 관객들에게 화려한 볼거리를 선사했고 인기를 얻었다. 당시 꾸준하게 관리해서 날씬한 몸매도 유지하고 있었으며 젊었기에 주름 하나 없이 탄력 있는 촉촉한 피부로 자연 미인대회에서 당당하게 1위, 한복 모델대회 2위를 했었다. 이러한 경험이 계기가 되어 연주 섭외도 늘었고 방송 출연을 하게 되었으며 패션쇼 기회까지 주어졌다. 다방면으로 활동하며 인기를 누리고 많은 남성에게 대시를 받아 콧대가 높았던 좋은 시절이 있었다.

그렇게 찬란했던 시절에 학업에 대한 열정이 생겼다. 지금까지 쌓은 커리어가 부족하다 느껴졌고 경쟁 사회에서 뒤처지지 않도록 지속 성장하며 미래 인생 설계에 중점을 둬야겠다는 의지를 불태웠다. 절친한 동료는 지금도 충분하다며 엄지척해 주었지만 들리거나 보이지 않았다. 4차 산업혁명 시대에 음악 분야 또한 여러 장르와 스타일의 융합으로 또 다른 새로운 작품들이 대거 탄생하고 있다. 공연하러 다니면서 그러한 작품들이 대중에게 인기를 얻고 있다는 것을 파악했고 퓨전 음악 연주자가 되어야겠다는 포부를 가졌다. 어린 시절부터 석사 과정까지 공부해 왔던 클래식과 더불어 K-POP에 관심이 생겨 대중음악까지 영역을 넓히고자 장르를 바꿔 박사 과정에 진학했다. 동 대학원이 아닌, 타 대학원이었지만 학교생활은 재밌었고 동기들과 끈끈한 우애가 있었다. 앨범 작업도 함께하고 필요시 학교에 남아 늦게까지 연습하기도 했으며 낭만을 만끽하며 캠퍼스를 거닐었다. 학구열을 불태우며 도서관에서 밤샘 공부도 했고 학교 앞에서 맥주 한 잔씩 하면서 학업, 연애, 삶과 미래에 관한 이야기를 나누며 추억을 쌓았다.

그러다가 학비를 직접 벌어서 다녔어야 했기에 예체능 비싼 학비를 감당할 수 없어 중간에 휴학했다. 일 좀 하다가 돈을 모아서 다시 복학하려고 했다. 그 사이 학교에서는 교수들 간의 파벌싸움으로 나의 지도교수가 교체되었고 복학 후 새로운 교수님을 찾아가서 앞으로 쓸 논문에 대해 상의드렸으나 내가 제안한 주제는 탐탁지 않아 하셨다. 이런저런 말씀 해주신 주제 중 '북한민요'를 탐구하는 새로운 주제를 추천받아 쓰게 됐다.

서양 악기를 전공했던 나는 '북한민요'라는 생소한 분야를 연구하고 탐색하며 흥미로운 발견도 했지만 분석하고 결과를 도출해 내는 과정에서 어려움을 겪으며 머리에 쥐가 날 정도로 스트레스가 쌓여갔다. 민요 전문가를 찾아가서 도움을 구해야 했고 참고해야 할 자료가 유일하게 국립중앙도서관에만 비치되어 있어 일을 병행하면서 도서관 이용 시간에 맞춰 왔다 갔다 해야 하는 일도 쉽지 않았다. 더군다나 하필 그 시기 도서관 건립 30년 만에 대대적인 공사를 해서 이용에 어려움도 있었다.

모든 것이 다 시간투자, 노력, 운까지 따라줘야 했다. 최종 논문심사에서 교수님들께 날카로운 지적을 받으며 세 번이나 불합격을 해 좌절의 쓴 맛을 경험했다. 억장이 무너졌으며 장시간 앉아서 연구하느라 허리 통증에 수면 장애 증상까지 생겼었다. 빨리 졸업해서 내가 좋아하는 일을 하며 돈을 벌고 싶었던 조급한 마음까지 겹쳐 길어진 학업에 대에 극도의 스트레스를 받았다. 그러다가 세

상에서 가장 사랑했던 나의 친한 친구, 반려견 단모 치와와 '미루'
가 13년을 살고 '자궁 축농증'으로 무지개다리를 건넜다.

둘
'가지 마…' 갑작스런 이별

마음이 울적하고 힘들 때 '미루'는 위안이 되었고 힘이 되었으
며 함께 놀 때 그렇게 행복했다. 조건 없이 늘 나만 바라봤고 꾸준
한 관심과 사랑을 주었기에 어느 날 새벽 6시, 엄마는 나에게 전화
해서 엉엉 우시며 '미루'가 갔다고 말해주었다. 처음 겪어보는 슬
픔에 큰 충격을 받아 소리 내어 대성통곡을 했다. 며칠간 식음 전
폐하고 울기만 했다. '펫로스 증후군'을 겪었다.

대학 다닐 때 우연히 학과 사무실 앞을 지나가다가 전공 실기
교수님 강아지가 새끼를 여러 마리 낳아 다 키울 수가 없어 한 마
리를 분양한다는 게시판 공지 글을 봤다. 부모님 허락도 없이 교수
님께 연락드려서 '미루'를 데리고 왔고 운명처럼 그렇게 우리 가족
과 인연을 맺었다. '미루' 덕분에 우리 가족 간의 분위기는 밝아졌
고 대화도 많아졌으며 끈끈한 유대감으로 화목했다. 어딜 가나 화
젯거리는 우리 집 강아지였고 '미루'는 새끼를 낳아 친척들에게 분
양했다. 친척들 또한 애정과 사랑으로 보살피며 덕분에 웃을 일도
많아졌다 하였고 집안 행사로 모일 때마다 강아지 이야기가 주를
이루며 웃음꽃이 피어났었다.

'미루'의 새끼 중 한 마리는 '하루'라는 이름을 붙여줬고 우리 집에서 키웠다. '하루'도 새끼를 낳았지만 영양분이 부족했던 탓인지 한 마리만 제외하고 나머지는 세상에 나오자마자 무지개다리를 건넜다. 생명줄을 붙잡고 간신히 살아있었던 한 마리는 '루루'라는 이름을 붙여주었고 우리는 '미루', '하루', '루루' 총 세 마리를 키웠다. 그런 '미루'가 떠나고 '하루'도 엄마 '미루'의 슬픔이 컸는지 일년 후 특별한 병명을 모른 채 엄마 품에서 갑작스럽게 숨을 거뒀다. '미루'가 갔을 때 너무 큰 상실감, 우울감이 왔었기에 '하루'는 그때보단 덜 했지만, 마음의 준비가 되어 있지 않은 상태의 이별이라 슬픔에 잠겼었고 더 잘해줄 걸 하는 죄책감에 괴로웠다.

같은 해, 맞벌이하시던 부모님을 대신하여 키워주시고 바이올린 레슨 때마다 동행해 주셨던 외할머니께서 영면에 드셨다. 치매 진단을 받으시고 서서히 기억을 잃어버리시는 과정을 봐왔으며 음식 솜씨가 참 좋으셨는데 그 음식도 다시는 맛볼 수 없게 되어 속상했었다. 사랑했던 손녀의 이름도 잊어버리시고 누군지 못 알아보실 정도가 되셨다. 평소 마음공부를 많이 하셨기에 공격적인 성향 없이 계속 웃으시는 예쁜 치매를 가지셨고 점점 악화되시면서 가족들은 요양병원으로 모셨다.

엄마는 하루도 빠지지 않고 지극 정성으로 6년 넘게 병원을 오가며 외할머니를 찾아뵈었었는데 코로나가 찾아온 후 병원에서 고령 장기 입원자의 취약한 면역력에 감염 위험 증가 우려로 대면 접촉 면회를 금지했다. 외할머니와 생이별을 하게 된 엄마는 날마다 근심 걱정으로 보냈다. 그 시기 엄마 지인께서 엄마 얼굴을 보더니 안색이 좋지 않다며 건강검진을 권유하셨고 상태를 확인하러 갔던 엄마는 난데없이 직장암 3기 판단을 받았다. 엄마는 급하게 병원에 입원을 했고 외할머니는 며칠 후 우리 아빠가 임종을 지켜보시는 가운데 돌아가셨다.

매일 병문안을 갔던 엄마는 입원한 상태에서 소식을 듣고 외할머니의 마지막을 보지 못했다며 눈물을 흘리셨다. 엄마는 외할머니한테 하나밖에 없는 소중한 딸이었다.

셋
아, 이게 무슨 일이지?

코로나 시기 공연도 없고 강의도 줄어 어디 밖에 나가지도 못하고 몸과 마음의 답답함이 쌓여갔다. 논문은 학기마다 재심사했고 나름대로 열심히 써도 1년 반 동안 불합격 판정받으면서 절망의 늪에 빠졌다. 그럴 때마다 자괴감이 들었고 교수님께 애원했지만 졸업은 희망도 없어 보였다. 한숨만 내쉬다가 깊은 고민 끝에 박사는 꼭 되고야 말겠다는 집념으로 눈물을 머금고 재투자해서 다른 대학원으로 편입했다. 추후 사업도 해보고 싶었기에 전공을 바꿔 음악과 전혀 다른 경영학과에서 학업을 했고 오프라인과 온라인 수업 병행으로 학점 이수하며 좋은 인맥도 형성했다. 학과 시험, 전공 시험을 거쳐 박사논문도 다른 주제로 처음부터 다시 쓰기 시작했다.

편입한 대학원에서는 나와 잘 맞고 참으로 감사한 지도교수님을 만나 힘과 용기를 얻어가며 시대의 트렌드를 따라 '유튜브'와 '음악'을 접목한 흥미진진한 논문을 썼다. '북한민요'는 쓰면서 점점 스트레스를 받는데 이번 논문은 연구하면서 재미를 느꼈다. 그 당시 개인 유튜브 채널을 운영하기도 했고 콘텐츠 기획과 편집에 관심도가 높아 서울시에서 육성하는 1인 미디어 크리에이터 사업에 참여하여 공유 오피스도 지원받으며 수익 기회 창출까지 얻었었다. 마음을 다시 잡고 흥미롭게 연구했다.

먹고 자고 일하는 시간 외에 논문에만 몰두하고 있고, 또 사회적 거리 두기로 일상생활이 바뀌어버려 집에 있는 시간이 오래되다 보니 재미를 찾고자 유튜브 방송과 아프리카TV 오디오 플랫폼 '팟프리카'(현재는 운영이 중단된 상태)에서 '쟈스민의 송포유'라는 방송국 개설 후 라이브 음악 프로그램을 진행했다. 사연과 신청곡을 받고 바이올린으로 연주를 해주는 감동을 선사하는 방송이었다. 원고도 직접 쓰고 AJ로 진행까지 하면서 이용자들과 소통하고 팬을 관리했다. 그날도 어김없이 진행을 마치고 나왔는데 연락 달라는 엄마의 메시지가 떴다. 바로 전화를 했더니 건강검진을 받으러 갔는데 암 판정을 받았다는 것이다. 이건 또 무슨 소리인가?

그것도 직장암 3기라 하여 황당함을 감추지 못했다. 평소 건강이 좋지 않으셨다는 것을 알지 못했던 나는 이 소식이 기가 막힐 노릇이었고 믿기지 않았다. 엄마는 병원에서 붙잡아서 바로 입원했고, 아빠는 하시던 일도 모두 정리하시고 엄마의 간병에 매진하셨다. '미루', '하루'도 떠나고 엄마 아빠는 병원으로 들어가 버리셔서 본가에 혼자 남겨진 '루루'를 데리고 왔다. 코로나 확산 우려로 암 병동은 면회가 엄격했고 직계가족 가운데 상주 보호자 1인 이외에는 면회가 불가능했다. 딸인 나도, 친척들도 엄마 얼굴을 볼 수 없어 애간장이 탔다.

항암치료가 시작 되었고 할 때마다 엄마는 머리빠짐현상이 일어나서 모자를 쓰기 시작했다. 아빠는 엄마가 잘 이겨내고 있다고 전해주었지만 옆에서 보기가 힘들다고 하셨다. 얼마나 겁이 났을 것이며 괴롭고 무서우셨을지 생각하니 눈물이 왈칵 났다. 내가 대신 해줄 수 있는 것도 없어 더욱 마음이 아팠다. 고통이 심하다는 그 치료를 여러 번 받아 어지럼증을 호소하셨고 진통제를 드셨다. 엄마는 살고자 하는 강한 의지를 보였고 정신력으로 버티려고 안간힘을 쓰셨다.

넷
눈물로 보낸 나날들

나중에 안 사실이지만 항암치료 부작용이 왔고 치료할 때마다 마치 날카로운 것으로 찌르는 듯한 통증이 심했으며 증세가 점점 악화되고 있었는데 내가 논문으로 심란해 있고 상황이 좋지 않으니 진형이한테 괜한 이야기해서 걱정시키지 말고 나아지고 있다고 하라고 아빠와 동생에게 말씀하셨다고 했다.

강아지를 워낙 예뻐했던 엄마는 그 와중에도 식구들 곁에 혼자 남은 '루루'가 어찌 지내는지 걱정을 하고 궁금해하여 나는 매일 사진과 영상을 전송하면서 그나마 작은 위안을 드렸다. 엄마는 그렇게 긴박하고도 불안한 하루하루를 버티고 있었고 아빠는 간이침대에서 주무시며 엄마를 병간호했다.

구정 연휴 때 나 혼자서 적적해할까 봐 작은 외삼촌께서 맛있는 것 먹고 담소를 나누자며 부르셨다. 식사하는 도중 "진형아, 너희 엄마가 올해 여름까지밖에 못 사신다는데 넌 이게 무슨 소리인지 아니?"라는 시한부 선고를 전해주었고 또다시 큰 충격에 빠졌다.

그럴 일이 있겠느냐며 TV, 유튜브 등을 보면 말기 암 환자들 다 잘 치료받고 건강하게 잘 지내고 있는 사례들이 보이니 우리 엄마도 그렇게 될 것이라고 굳건히 믿었다.

당시 엄마는 본인이 언제까지 살 수 있는지는 모르고 있었기에 나는 계속 엄마한테 희망을 주고 싶어 암을 극복하고 살아가는 이들에 관한 이야기도 해드리고 완치된 이들의 삶이 담긴 영상 링크도 첨부하여 보내드리기도 했다.

마음이 심란하여 일이 손에 안 잡혔고 이놈의 코로나로 면회가 되질 않으니 울화통이 터졌다. 엄마가 너무 보고 싶어 병원 입구에서 방역 관리하고 계시는 관리자를 따돌리고 몰래 들어가서 엄마 얼굴을 슬쩍 보고 나오기도 했다. 머리도 다 빠져있고 얼굴은 말도 못 하게 수척해져 있었다. 뭐 이렇게 하얗고 큰 링거를 꽂고 있는 건지, 그저 안쓰럽고 또 안쓰러웠다. 쪽잠 주무시며 간호하고 계시는 아빠도 힘들어 보이셨고 머리는 염색도 못 하셔서 백발 노인이 되었다. 엄마가 식사를 제대로 못 하시니 아빠도 입맛이 없어 매 식사 한 끼 제대로 못 하셨고 자리를 비우게 되면 그 사이 혹시나 무슨 일 생기지 않을까 하는 겁나는 마음에 병원 지하 편의점 가셔서 삼각 김밥으로 후다닥 때우고 오신 다기에 사람 사는 꼴이 이게 뭔가 싶었다.

아빠도 심장이 좋지 않으셔서 스텐트 시술을 받으시고 약을 섭취하고 계신 상태였다. 나도 몸과 마음이 약해질 때로 약해져서 이러다가 소중한 사람들 다 떠나고 한순간에 고아가 되는 거 아닌가 하는 이상한 생각도 했었다. 그래도 주변에서 긍정적이면서 위로의 말씀들을 많이 해주셔서 무너질 때마다 다시 일으켜 세우고 매일 '루루'와 산책하며 마인드 컨트롤을 했다.

그 해 봄, 바이올린 레슨을 하던 중, 동생한테서 전화가 왔다. '언니, 의사 선생님 왔다 가셨는데 엄마가 3시간밖에 남지 않았데, 급하게 와야 할 것 같아'라는 연락을 받고 황급히 병원으로 갔다.

다섯
삶과 죽음에 대하여

엄마의 눈은 다시는 나를 볼 수 없이 이미 감겨 있었고 혈압과 산소포화도의 감소가 보이기 시작하면서 서서히 의식을 잃어가고 있었다. 임종이 가까워진 것이다. 마지막까지 살아있는 것이 청각이라 하여 그동안 하고 싶었던 말, 좋은 말 많이 하라 하셨는데 엄마를 보내기 싫어서 이것저것 어제오늘 있었던 일을 마구 떠들어댔다.

2021년 4월 8일 오후 7시 1분, 영화나 드라마에서나 보던 모니터에 일직선이 그어지며 '삐' 소리가 났고 의사 선생님은 사망선고를 내리셨다. 세상 큰 충격을 받아 눈이 뒤집히고 이성을 잃어서 엄마 자는 거냐며 울고불고 난리 치며 일어나라고 막 소리를 질렀고 아빠는 여기 암 병동이고 네가 그렇게 소리 지르면 다른 환자들이 놀라 더 불안해한다며 언성을 높이셨다. 다리에 힘이 없어 바닥에 주저앉은 채, 남이 무슨 상관이냐며 엄마 보고 가지 말라고 일어나라고, 계속해서 소리치는 내 모습이 너무 안되어 보였는지 매일 같이 암 환자를 떠나보냈던 간호사 선생님들도 눈물을 흘리셨다. 동생은 말없이 울기만 했고 가족 모두가 감정을 주체할 수 없는 상황과 아픔 속에 장례 준비를 했다.

그리고 벚꽃이 만발하던 날 엄마를 가슴에 묻고 보내드렸다.

'엄마, 아픔 없이 편히 쉬세요'

엄마 돌아가시기 전, 다행히도 박사 논문이 통과되어 졸업하게 되었다는 기쁜 소식은 전해드렸다. 다니던 두 개의 대학원 모두 졸업했다. 전화위복이라고 편입하기 전 대중음악을 공부했던 대학원의 교수님께 연락이 왔다. 그동안 써놨던 '북한민요' 논문 다시 한번 잘해보자는 연락을 주셨고 지도를 받으며 다시 작성했다. 학점은 모두 이수하여 논문만 통과되면 졸업이었다. 최종 논문 심사에서만 세 번이나 떨어졌었는데 네 번째 심사에서 통과되었고 예술학 박사학위를 받았다. 험난한 과정을 이겨내어 웅장한 졸업식을 치르고 싶었지만 코로나 시기로 졸업식 행사가 없었으며 학위수여 포토존만 있어서 마스크 쓰고 그 앞에서 학위기 들고 루루랑 사진만 찍고 돌아왔다.

2020년 여름에는 그렇게 편입하기 전 다녔던 학교에서 졸업식을 했고 편입한 대학원 논문도 계속 쓰고 있었기에 6개월 후 논문

심사가 통과되어 경영학 박사학위를 받았다. 졸지에 박사학위가 두 개가 되었다. 기쁜 소식을 전해드렸더니 부모님은 놀래시며 기쁨을 감추지 못하셨고 잠시나마 미소를 볼 수 있었다. 졸업식을 못 오신 것에 미안해하셨다. 돌아가시기 전 딱 하루 본가에 머무신 시간이 있었다. 엄마가 나를 잠시 부르시더니 안방 옷장에 보면 작은 선물이 있다 하여 가서 확인해 보니 웬 명품 가방이 보였다. 아빠랑 상의해서 준비한 졸업 선물이라며 앞으로 격식 있는 자리에 참석하게 될 일이 많을 텐데 그때 들고 다니면 좋을 것 같다고 말씀해 주셨다.

그 선물은 우리 엄마가 나에게 주는 마지막 선물이 되었다. 집에 있고 싶으셨던 엄마는 결국 몸이 안 좋아 다음 날 병원에 다시 입원하셨고 졸업 소식을 들으시고 한 달 후에 돌아가셨다.

여섯
나의 건강에 적신호?

장례식장에 놓을 영정사진은 엄마가 네 잎 클로버를 들고 활짝 웃고 있는 사진을 골랐다. 아빠는 입을 꾹 다물고 누가 봐도 영정사진 같은 사진은 해놓지 말자며 네 잎 클로버를 찾았다며 매우 기뻐하며 활짝 웃고 있을 때 아빠가 그때 딱 찍어주신 사진으로 해 놨다. 엄마의 지인들께서 와주셔서 애도를 표했고 가시는 길이 외롭지 않도록 기도를 해주었다. 그러한 모습을 보면서 현재 나는 종교는 없지만, 나이 들어서 종교를 하나 갖는 것도 좋겠다는 생각과 내가 아플 때 과연 누가 옆에 있어줄까? 하는 상상을 해봤다.

엄마를 보내드리고 난 후 아버지와 동생은 유품정리를 했고 나는 서류 정리를 했다. 여행도 잘 다녀보지 못했던 엄마이기에 빈자리가 컸고 그동안 잘 해드리지 못했던 것에 대해 후회했다.

그동안의 육체적, 정신적 불안정과 힘듦이 몸으로 나타났다. 건강이 안 좋아졌고 면역력이 약해졌으며 스트레스로 비만이 되어버렸다. 하체 부종, 소화불량, 역류성 식도염에 얼굴은 부었고 피부 트러블까지 생겼다. 거기다가 달달한 음식을 자주 찾았고 탄수화물 중독에 이르렀다. 강의를 다니면서 식사시간이 불규칙했으며 주로 인스턴트식품을 찾았다. 폭식으로 20kg 이상 살이 불어났다. 또 혼자서 감당해야 하고 신경 쓸 일들이 많아 여유를 갖고 운동할 수 있는 시간도 부족했다.

그러다가 오랜만에 공연 문의가 들어와서 드레스를 입어봤는데 맞질 않는 거다. 배가 불룩 나와 있으니 붙는 옷은 입을 수가 없었고 그나마 체형이 가려지는 펑퍼짐한 옷을 입고 겨우 연주했는데 스스로 한심하다는 생각이 들었다. 게다가 사정도 모르는 관객 중에서 어떤 분이 위아래로 훑어보며 연주자가 날씬하지 않다고 구시렁거리기까지 했다.

고등학교 때부터 절친했던 친구가 있었다. 졸업 후 외국인 남성과 결혼해서 국외에 나가 있었던 친구라 마침 오랜만에 한국에 들어왔다는 소식을 접하고 함께 식사 자리를 서너 번 가졌었는데 대화를 하는 과정에서 자꾸 내 몸매에 대해 지적질을 했다. 원래부터 다리가 길고 늘씬하여 타고난 몸매를 자랑하던 그 친구에게 온통 관심사는 다이어트와 남자였다.

"진형아, 너 그 몸매로 남자를 만날 수 있겠니? 아무리 박사를 하면 뭐해 처음부터 너의 내면을 봐줄 남자는 없단다. 외면이 먼저야!"

남자는 시각적 동물이라는 말이 있듯, 그녀의 말에 어느 정도 수긍은 했지만 무엇보다 우리 둘이 몇 년 만에 만났기에 친구의 삶과 인생 이야기를 주로 듣고 싶었다. 또 나는 과거에 모델도 했었고 매니지먼트에 소속되어 활동하면서 관리하기 위해 안 해본 다이어트가 없어 살을 빼야 할 때 어떻게 해야 하는지 알고 있다고 말을 했다. 지금 당장은 내 마음에 여유가 없어 추후 생각이 있을 때 다이어트를 다시 시작하겠다고 말을 해도 그 친구는 무례한 말을 계속했다. 심지어 고등학교를 졸업하고 대학을 포기했던 동창생 김 모 양과 비교하며 남자들에게 나의 사진과 김 모 양 사진을 보여줬더니 김 모 양을 택했다며 학위만 높으면 뭐 하냐는 핀잔을 줬다. 내가 원하지도 부탁하지도 않은 행동을 한 친구에게 화가 났고 불편했다.

일곱
비만 탈출, 살과의 전쟁 선포합니다

결국 그 친구와는 손절을 했고 그렇지 않아도 몸도 무겁고 엄마께서도 건강이 안 좋아지셔서 돌아가셨는데 이대로 내버려 두면 안 되겠다 싶어서 과거 모델을 했었던 아름다운 몸매로 돌아가고자 마음이 어느 정도 안정되고 난 후 다이어트를 결심하고 운동을 다시 시작했다.

시간은 금이다. 집과 가까운 헬스장을 몇 군데 찾아 상담을 받고 마음에 드는 곳을 택하여 PT를 등록했다. 현재 몸 상태를 점검해 봐야 했기에 체성분을 측정하고 어느 정도 체중 감량을 해야 건강한 몸이 되는지 체크를 했다. 체형교정과 다이어트를 같이 진행하고자 했고 트레이너 선생님께서 식단도 짜주셔서 매일 관리받았다.

운동은 아침 시간을 활용했다. 평일에는 주로 늦은 시간까지 일정이 있고 집에 들어가서도 여러 가지 해야 할 일이 있기에 평소보다 기상 시간을 앞당겨서 하루를 좀 더 일찍 시작하기로 했다. 비몽사몽했지만, 시간을 절약할 수 있었고 오후 시간에 하고자 하는 많은 일정을 소화할 수 있었다. 또 아침에 땀 흘리며 운동하고 난 후 샤워하고 나오면 개운하여 상쾌한 기분으로 하루를 시작할 수 있었다.

주 2회 상체와 하체를 나누어 PT를 받았다. 몇 년간 운동을 하지 않았기 때문에 기본 스트레칭을 할 때부터 동작도 느리고 몸이 뻣뻣하여 힘들었다. 트레이너 선생님께서는 용기를 주셨고 운동하는 모습을 영상으로 남겨주셔서 모니터 해가며 자세를 교정했다. 땀이 날 때까지 열심히 운동하고 연습을 했다. 웨이트 반복 횟수도 점차 늘려가며 기초 체력과 근력을 길렀다. 스트레칭, 웨이트, 유산소, 샤워 시간까지 포함하여 하루에 1시간 30분에서 2시간가량 운동을 했다.

　운동 습관을 기르고자 처음에는 운동에 중독된 사람처럼 한 달에 한 번 있는 헬스장 휴무일을 제외하고는 매일 갔다. 밤에 활동적인 올빼미형이었기 때문에 아침에 조금 더 일찍 일어나기가 쉽지 않았지만, 알람을 맞춰놓고 긍정 확언으로 시작했다. 적정 수면시간도 확보해야 했기에 자기 전에 침대에 누워 휴대폰 하는 시간을 줄이고 일찍 자려고 노력했다.

　그동안 아침에 일어나면 주로 커피 한 잔과 빵 하나로 식사를 했지만, 트레이너 선생님께서 추천해주신 단백질 시리얼과 사과 반 개로 메뉴를 교체했다. 점심은 일반식 먹는 것이 습관이 되어있어 평소 먹는 양보다 반으로 줄여서 먹으려는 노력을 시작으로 점차 샌드위치, 샐러드 등으로 바꿨다. 퇴근 후 집에 와서 야식을 주로 먹었었는데 야식을 끊고 저녁은 최대한 너무 늦은 시간에 식사하려고 노력했으며 냉동 다이어트 도시락이나 달걀, 소고기, 미역국수 등으로 대신했다.

　굶으면서 하는 다이어트는 옛말이다. 운동하면서 시중에 상당히 맛있는 다이어트 식품이 많이 출시되어 있다는 것을 알았고 SNS에 누구나 쉽게 따라 할 수 있는 다이어트 요리법도 잘 나와 있어 맛있고 건강하게 즐기면서 살을 뺄 수 있었다. 다만 칼로리 계산과 영양 정보를 잘 살피어 과하게 먹지 않도록 주의가 필요했다.

여덟

피트니스 대회 도전기

운동과 식단을 병행하며 꾸준하게 하니 몸이 점차 가벼워졌고 체중계에 올라가서 살이 빠지고 있음을 확인할 때마다 기분이 좋았다. 운동만 해서 되는 것이 아니라 식단도 병행해야 하고 영양제도 고루 잘 챙겨 먹어줘야 몸이 건강하게 변한다는 것을 알게 되는 계기가 되었다.

대전에서 상당히 규모가 큰 피트니스센터를 운영하시면서 무제한 피티로 회원들의 운동 습관을 개선해 주시는 '케틀벨아시아스포츠' 서병진 대표님과 인연을 이어오다가 요즘 근황과 새로운 변화에 관해 이야기를 나누면서 조언을 구했다. 대표님께서 만드신 회사는 다이어트, 피트니스 선수와 모델 양성, 트레이너 교육, 컨설팅, 기업 강연, 스포츠 의류 제작, 운동 관련 용품 납품 등 다양한 프로그램을 제공하고 있었다. 건강관리 연구소 또한 운영하고 계셔서 대중에게 건강과 관련된 유익한 정보를 알려주며 피트니스 분야 발전에 핵심 역할을 가하고 계셨다. 대표님께서는 체지방 감소를 위한 비결을 가르쳐 주시며 응원을 보내주셨다. 그러다가 다이어트를 하면서 피트니스 선수에도 도전해 보라고 권유를 하셨다. 그것이 나의 첫걸음이었다.

떨어진 자존심도 높일 겸 마음을 굳건히 잡고 시도해 보기로 했다. '케틀벨아시아스포츠' 내부의 '팀 케틀벨'이라는 피트니스 선수 양성 아카데미에서 체계적인 훈련을 받기로 했다. 주말에 대전을 오가며 운동을 했고 평일에는 집 근처 헬스장에서 배운 내용을 복습했다.

피트니스 선수 훈련은 일반 생활 훈련보다 강도가 셌다. 목표가 출전 선수이기 때문에 다이어트 수준도 높아야 했고 내가 목표로 한 대회 출전 종목은 근육이 과하지 않고 아름답게 잘 잡힌 모양을 보여줘야 했기에 전체적으로 몸의 균형미가 돋보일 수 있게 만드는 노력을 가했다. 특히 소도구 케틀벨을 활용한 운동에 재미를 느꼈다. 이 케틀벨이 생긴 건 작고 귀여운데 기본 4kg 이상이기에 들고 여러 자세를 취하다 보면 저절로 몸에 힘이 들어가고 다이어트가 완성될수록 근육이 조금씩 보이는 것을 느꼈다.

운동 외에도 워킹 및 포징 지도를 받았고 나의 이미지에 어울리는 비키니 의상과 색상을 선정하여 맞춤 제작을 했다. 대회용 비키니는 일반 비키니보다 화려하고 장식도 들어가서 가격이 높았다. 무대에서 퍼포먼스와 자신감을 표현해야 했기에 이미지메이킹 교육도 받았다. 근육이 선명하게 보이기 위해 태닝도 진행했다. 잠시 썬번의 고통도 겪었지만, 연고를 바르니 다행히 가라앉았다.

여자 선수는 피트니스의 꽃이라 했다. 준비 과정이 쉽지 않고 도전하는 선수들은 독한 마음을 갖고 관리를 철저히 하신 분들이 나온다고 했다. 나는 이 분야를 준비하면서 피트니스의 또 다른 매력을 느끼고 나만의 매력 포인트도 발견해 나갔다. 노폐물을 체외로 배출시키기 위해 물을 하루에 2L씩 마셨으며 식단도 저 탄수로 바꿨다. 특히 슈퍼 푸드라 불리는 고단백 식품 병아리 콩을 추천받아 쪄서 샐러드에 곁들이기도 했고 두부와 함께 유부초밥을 만들어 먹기도 했다. 훈련하면서 술은 일체 입에 대지도 않았고 수면의 질이 저하되지 않도록 커피도 줄였다. 힘들었지만 나만의 운동 습관을 만들면서 점차 활력을 되찾았고 긍정 에너지를 찾아갔다.

아홉
비키니 선수로 출전, 가즈아!

대회가 코앞으로 다가오면서 긴장감이 높아졌다. 바이올린과는 전혀 다른 생소한 분야의 도전이기에 '팀 케틀벨' 훈련 방식을 그대로 믿고 따랐다. 첫 대회는 2023년 7월 30일 부산 수영구 스포츠클럽에서 열리는 'ICN 부산 내추럴 챔피언십' 출전을 목표로 두었다.

'팀 케틀벨'에는 대단하신 선배님들이 계셨고 롤 모델로 삼았다. 나의 포징 지도 선생님이시자 보디빌딩 챔피언십 IFBB 엘리트 프로 대회에서 1위를 하신 40대 박희영 이사님은 수년간 위염과 저혈당, 궤양성 식도염 증상이 있으셨는데 절망의 갈림길에서 아이들과 자신을 위해서 살아야겠다는 각오로 이 악물고 운동하시면서 식습관도 바꾸셨다. 체중 70kg에서 시작하여 45kg까지 감량하신 후 여러 대회에서 1위를 하시면서 질병을 치유하시고 현재는 피트니스 대표이자 각종 보디빌딩 대회 심사위원으로 활약하고 계신다. 진정한 슈퍼우먼이 아닐 수 없었다.

내 몸의 상태를 전반적으로 점검해 주셨던 50대 이안진 점장님은 과거에 족저근막염, 좌우 비대칭과 허리 디스크로 고생하시고 온몸에 쌓인 내장지방으로 건강에 적신호를 느끼셔서 운동을 시작하셨다고 했다. 총 30kg을 감량하신 후 코리안 슈퍼 맘 PRO 그랑프리를 하시고 건강한 몸으로 회복하셨으며 현재는 건강 관련 방송 출연과 더불어 피트니스 트레이너로 왕성하게 활동하고 계신다.

선배님들의 사연을 듣고 변화된 모습을 바라보니 자극이 됐다. 훈련은 평일 하루 최소 4시간, 주로 오전과 오후 2시간씩 나눠서 했다. 주말은 최대 8시간까지 했다. 주 6~7회 운동을 하며 즐겁게 시작한 일이 스트레스가 되지 않도록 운동 전·후 틈틈이 독서로 마음을 다스렸다.

대회 일주일 전 대표님을 비롯하여 선배님들께서 전체적인 몸 체크를 해주셨고 출전 종목을 제안해 주셨다. 대회 하루 전에는 맞춤 제작된 비키니와 가운, 액세서리를 전달받았다. 비키니를 입고 예행연습을 해보며 피드백을 받았다. 하면서 매우 부족하다 느꼈지만 포기하지 않고 여기까지 온 것에 대해 박수를 보내주셨다. 몸과 근육의 선명도를 부각하기 위해 전 박희영 이사님, 이안진 점장님께서 탄 작업을 해주셨다. 뭉치고 얼룩지지 않게 세심하게 도와주셨고 골드빛 피부가 완성됐다.

드디어 대회 당일이 되었다. 출전 준비에 정신이 없어 혹시나 내가 놓치는 부분이 있을까 봐 부산까지 '팀 케틀벨'에서 5명의 서포터가 출동했다. 새벽부터 서둘러서 부랴부랴 준비물을 챙겨주었고 식사, 멘탈 관리, 비키니·모노키니·드레스 피팅 등을 도와줬다. 또 소중한 추억이 되도록 사진과 영상을 찍어줬다. 첫 대회에 다이어트 전과 후를 비교 심사하고 선수의 노력과 변화를 확인하는 '트랜스포메이션', 수영복을 입고 균형 잡힌 신체와 무대 표현력을 보는 '바싱슈트', 날개 코스튬으로 매력을 선보이는 '비키니 엔젤', 드레스 패션 감각과 퍼포먼스를 살펴보는 '핏 모델' 총 4개의 종목에 출전했다. 화려한 조명과 무대, 쿵쿵거리는 음악에 내 심장도 요동쳤다.

열

그녀는 챔피언! 바프까지 도전?

태닝을 하고 몸에 탄을 발랐기 때문에 피부색과 맞추고자 경험이 풍부한 현장 헤어 메이크업을 신청해서 이목구비가 또렷하게 보일 수 있도록 진하게 부탁드렸다. 대회장 도착 후 선수로 출전하기 전, 참가 선수들을 응원하고자 전자 바이올린 공연을 펼쳤다. 열정적인 나의 공연에 분위기는 순식간에 달아올랐고 관객들은 뜨거운 환호성과 박수를 보내주었다. 연주를 잘 마치고 첫 번째로 '트랜스포메이션' 종목에 출전했다. 굽이 높은 유리 구두를 신고 워킹 연습을 꾸준히 했어도 혹여나 무대에서 미끄러지지 않을지 살짝 걱정됐지만 선수 번호 207번 이진형 이름이 호명된 후 무대를 즐긴다는 마음으로 웃으며 당당하게 등장했다. 정면 포즈, 쿼터 턴, 후면 포즈 등 배운 동작을 토대로 나의 매력을 마음껏 드러냈다.

나는 이 대회를 준비하면서 총 20kg 넘게 감량했으며 다이어트 전과 후 사진을 공개했다. 심사위원단은 비교하며 평가했고 결과는 당당하게 1등! 메달을 목에 걸고 우승 트로피를 힘차게 들어

올렸다. 두 번째로 출전한 '핏모델' 종목에서는 임은주 디자이너 선생님께서 화려한 비즈 장식을 추가해 손수 공들여 작업해 주신 레드 컬러의 드레스를 입고 등장했다. 과감한 옆트임으로 쭉 뻗은 다리를 선보이며 멋진 드레스를 입고 끼를 발산했다. 결과는 아쉽게도 3등! 몸이 좋은 선수들과 경쟁한 것만으로도 값진 경험이었다. 세 번째 '비키니 엔젤' 종목에서는 비키니에 박희영 이사님께서 제작하신 커다란 날개를 달개를 달고 LED 바이올린을 연주하는 퍼포먼스를 선보였다. 완성도 높은 몸을 선보인 선수들과 함께했기에 이번에도 결과는 3위를 했지만, 후회는 없었다. 마지막으로 '바싱슈트' 종목에서는 섹시한 컨셉의 블랙 컬러의 수영복을 입고 운동으로 다져진 몸매를 과시했다. 기승전결로 마지막 종목에서 1 등을 했고 처음 출전한 대회에서 2관왕의 영예를 안았다. 그동안에 흘린 땀과 눈물의 결실이었다.

물심양면 지원해 주셨던 서병진 대표님과 '팀 케틀벨' 식구들은 그동안 애썼다며 축하를 해주었다. 몸이 좋고 메이크업까지 되어있는 상태였기에 대회가 모두 끝난 후 나의 버킷리스트였던 바디 프로필을 찍으러 같은 지역 촬영장으로 곧바로 이동했다. 준비한 의상을 입고 원하는 컨셉에 맞추어 진행되었다. 작가님께서 무릎의 각도부터 허리를 어느 정도 틀어야 하는지, 고개는 어떤 방향으로 돌리는 게 좋을지 손 모양은 어떻게 해야 사진이 잘 나오는지 세심하게 알려주셨다. 자연광이 들어오는 창가에서 우아한 포즈를 취하고 그동안에 먹고 싶었던 것들을 참아가며 여기까지 왔다는 마음에 밝은 분위기로 분홍색 배경의 과자, 도넛 등의 소품을 들고 먹자 컨셉도 해봤다. 대회에서 받은 메달을 걸고 트로피를 들며 우승 기념사진도 남기고 온 마음 다해 도와주셨던 박희영 이사님과 함께 의미 있는 사진도 연달아 찍었다. 사진을 찍으며 내가 이러한 프로필 사진도 찍을 수 있게 되었구나! 하는 생각이 들었고 참으로 행복했다.

길었던 모든 일정이 다 끝나고 난 후 다 함께 광안대교를 바라보며 식사할 수 있는 무한 횟집에 가서 뒷풀이를 했다. 밑반찬과 회를 푸짐하게 먹으며 그동안 감사했다는 이야기를 나누었고 '팀 케틀벨' 식구들이 바라본 나의 모습에 대한 이야기를 들으며 스스로를 돌아봤다. 인내와 끈기가 만들어 낸 결실이었고 뿌듯했다. 앞으로 건강한 삶을 유지하고 긍정 에너지로 많은 사람들에게 선한 영향력을 끼치는 사람이 되겠다고 결심했다.

끝맺음
새로운 나를 마주하다

'이것 또한 지나가리'

길었던 학업도 잘 마쳤고 코로나가 잠잠해지면서 일상이 회복되어 생활 패턴을 되찾았다. 시간이 해결해 준다고 힘들어했던 가족들의 마음도 주변 분들의 도움과 위로로 어느 정도 안정을 찾았다. 주변에 좋은 사람들이 많다는 것을 큰 축복으로 여기고 나도 인생을 살며 선한 영향력을 끼치는 연주자가 되겠다고 맹세했다. 아빠 옆에는 아직 건강하게 장수하고 있는 우리 루루가 옆에 있어서 큰 위안이 되고 있다. 나는 이번의 값진 경험으로 잃어버렸던 자신감을 되찾았으며 그동안 우울했던 기분을 날려버리고 긍정의 힘으로 지내고 있다. 나를 위한 루틴을 만들고 유지하고 있다.

경험을 바탕으로 비만은 비난의 대상이 아님을 알았다. 게으른 습관으로 살이 찐 사람들도 있지만 저마다 처한 환경이 다르고 여유가 없을 수도 있으며 건강이 좋지 않고 사연이 있어 살이 찐 사람들도 있다. 나의 동료 중에 한 분은 유전이라고 말했고, 다른 한 분은 결혼하고 아이가 생기지 않아 호르몬 주사를 지속해서 맞고 있어 체중이 증가하고 있다고 했다. '너나 잘하세요'처럼 악의적인 오지랖을 부리지 말고 나부터 관리를 잘하고 있는지 한번 돌아봐야 한다는 것이다.

이번 피트니스 대회를 준비하며 출전을 통해 몰입의 중요성과 꾸준함이 성공의 지름길임을 깨닫는 계기가 되었다. 힘든 순간이 오지만 도망치지 않고 버텨가며 천천히 한발 한발 내디디니 좋은 결과로 이어졌다. 앞으로도 나의 몸과 마음을 살피며 건강한 삶을 살겠노라 다짐했다.

갑작스러운 이별을 경험하며 남겨진 소중한 가족을 잘 챙기고자 결심했다. 작은 것에 집착하지 않고 오늘과 다른 또 다른 내일을 맞이하며 더 많이 웃고, 사랑을 표현하며 하루하루 즐겁고 값진 인생을 살아가고자 노력하기로 했다.

▲ 다이어트 전과 후, 20kg 이상 감량하며 몸매와 건강을 되찾았다

▲ (위) 2023년 7월 30일, ICN 부산 내추럴 챔피언십 트랜스포메이션 부문 1위 수상

(아래) 부산 JY 스튜디오에서 찍은 바디 프로필

이진형

아름다운 결론에 도착하기 위해 여행 중이야

...우린 지금.

함유선

Part 1
낯선 여행 길에서 나와 마주한 나

"나"다운 길

20대 때는 열정 하나만 있으면 뭐든 할 수 있을 거라고 생각했다. 열정 하나로 하는 모든 일들이 즐거웠고 실수를 하더라도 다른 누군가는 귀엽게 봐 줄 때가 있었으니까. 그런데 40을 바라보고 있는 지금. 열정만을 가지고 살아갈 수 없다는 것을 안다. 열정 하나로 무언가를 하기에는 책임감이 따르는 일들이 20대에 비해 많아졌고 또 열정이 항상 성공과 직결되지 않는다는 걸 이제는 알기에.

그럼 이젠 열정이 아닌 편안함과 익숙함에 안주하며 살아가야 할까? 열정 하나만으로 무언가를 하기엔 너무 무모한 걸까? 아직도 삶에 열정이 있는 나의 모습이 세상 사람들의 눈에는 현실감각 없는 철없는 사람으로 비칠까?

하지만 열정이 있다는 게 잘못은 아니지 않은가? 다만, 오늘의 열정이 눈에 보이는 세상적 성과로 아직 나타나지 않았을 뿐이니까. 내일, 내일모레, 내일모레 글피…쏟아부은 열정이 모이면 어떠한 형태로든 결과는 나타나겠지. 그 결과가 항상 좋으라는 법은 없다. 하지만 그 결과를 통해 얻는 무언가가 있다. 그 무언가가 "나"다운 좋은 길로 이끌어 줄 거라고 믿는다.

자… 다시 열정을 찾을 준비가 되었는가?

과거를 돌아본다는 진정한 의미

한두 살 더 나이를 먹어선가? 요즘은 어떤 어려운 상황에 직면 했을 때 낙관적 마인드를 갖기보다는 그저 낙담하고 주저앉기 바 쁘다. 예전에는 바라고 기대했던 것들이 이루어지지 않으면 '다시 일어서면 돼'라며 희망을 노래했다. 하지만 지금은 '역시 안 되나 봐', '실패한 인생인가 봐', '누군가 날 비웃고 있겠지?'라며 절망하 며 탄식한다.

밤에 자려고 누우면, 오늘 일어난 일이 다시 내 마음을 조여온 다. 왜 괴로운 걸까? 누군가가 나를 우습게 여길 거라는 생각 때문 일까? 깜깜한 터널의 끝이 보이지 않아 설까? 다시 일어서기엔 체 력적으로나 정신적으로 한계를 느껴서 일까? 그러다 보면…그래도 지금보다는 "나았던" 과거가 그립다. 과거를 회상하며 '왜 이런 선 택을 했을까?'라며 자책도 해본다. 하지만 막상 다시 선택의 기로 에 놓인다면… 분명 지금과 같은 선택을 할 것이다.

그게 나라는 사람이니까.

그러기에 지금은 과거에만 머물러 있을 때가 아니다. '그래도 지금보다는 나았던 과거'엔 어떠한 원동력으로 삶을 지탱했는지 생각할 때이다. 그 원동력으로 지금을 살아간다면…어떠한 상황을 마주해도 낙담할 것도 절망을 노래할 것도 없지 않겠는가?

함유선

미안하다, 내 친구들아

30대 초반까지만 해도 사람들이 나를 계속 찾았고 그들에게 상담해 준다는 것에 이상한 자부심이 있었다. 그땐 내가 진짜 남의 마음을 잘 이해한다고 생각했었나 보다.

"언니의 말을 듣고 마음이 편안해 졌어요."
"말해준 대로 했더니 문제가 해결되었어."
"잘 들어줘서 고마워"

친구들은 늘 이렇게 메시지로 자신들의 마음을 전하곤 했다. 그럴 때마다 나는 친구들의 고민을 해결해 주고 잘 들어줬다는 생각에 어깨 뽕이 한껏 올라가 있었던 것 같다. 그런데 30대 후반을 달리고 있는 요즘, 이런 생각들을 하곤 한다.

'내가 정말 친구들의 고민을 공감하며 잘 들어준 걸까?'
'내가 정말 친구들의 고민을 덜어주기 위해 노력한 걸까?'

아니였다.
'미안하다, 내 친구들아.'

어렴풋, 친구들의 이야기를 들으며 '오늘 저녁은 뭐 먹을까?' '내일 약속에는 무슨 옷을 입고 나갈까?' '클라이언트가 갑자기 전화해 일 시키면 뭐라고 말하지?' 여전히 '나' 중심적인 생각을 했던 것 같다. 또, 친구들의 고민을 들으면서도 '행복한 고민이다.' '왜 저렇게 행동하지?' '이해하기가 어렵다.' 등 친구들의 고민을 공감하는 척하면서 그들을 질투하기도 했고 이해하지 못하기도 했던 기억도 남아있는 것 같다.

　'미안하다, 내 친구들아.'

　너무 남을 돌보지 못하며 살았다. 그러다 보니 친구들이 나를 찾는 일들은 내가 외로울 때 내 마음 즐겁자고 또는 덜 외롭게 보내기 위해 내 나름대로의 장치를 만들어 두었던 건 아닌가라는 생각을 해본다. 아직 어린 나이. 하지만 30대 들어서면서 '인생'이라는 것이 무엇인지 조금 알 것 같다는 교만함이 자리할 때이기도 하다. 교만과 부족함의 인정 사이에서 방황할 수 있는 애매한 나이여서 일까? '남(YOU)'보다는 '나(I)'라는 사람이 더 중요했다. 그런 내가 다른 누군가를 위로했다.

　'미안하다, 내 친구들아.'

　내 소중한 친구들아, 그때는 내가 너무 미성숙했다. 솔직히 말하면 그대들의 고민을 귀담아 듣지 않았고 상담이라 빙자해 내 외로움에만 집중했던 것 같아. 그때의 나는 그대들이 나를 통해 감동을 받고 문제를 해결했다고 생각했던 것 같아. 그런데 지금 와서 생각해 보니 내 스스로에 감동을 받고 외로움이라는 내 문제를 해결한 것 같아. 그때의 나는 내가 정말 상대의 말에 귀를 기울이고 공감하고 있다고 생각했는데 지금 와서 생각해 보니 아주 미성숙하고 서툰 행동이었어.

　'미안하다, 내 친구들아.'

함유선

남을 진심으로 이해하고 남의 말을 잘 들어준다는 건 참 어렵다. 이 일은 그렇다고 누가 잘하고 못할 수 있는 일도 아닌 것 같다. 하지만, 오늘 내 사랑하는 친구가 나를 찾아오거나 전화를 해온다면 어제의 나와는 다를 것이다. 나의 부족함을 알기에. 나를 넘어 너에게 조금은 마음을 줄 수 있기에.

'내 사랑하는 친구들아, 부족한 '나'임에도 불구하고 찾아줘서 고마워.'

나의 간증[1]

...

이제 학교라는 울타리를 떠나 사회로 나갈 준비를 해야 되는 시기가 되어서 그런지 내 연구와 수업에 대해 신랄한 비판을 하는 사람들이 많아졌다. 다 그것이 나를 분발하도록 하기 위한 조언이기는 하겠지만 그 말이 마음에 꽂히면 상처가 될 때가 있었다. 그리고 내 수업을 듣는 학생들 몇몇이 나를 대놓고 무시하는 태도를 보기도 했다. 그래서 정신적으로 고통을 받기도 했다. 또 다른 사람들에 비해 현재 눈에 띄는 연구 실적이 많은 것도 아닌 상태라서 심할 때는 내가 가치가 없는 사람으로 까지 느껴지기 시작했다.

---

1 본 내용은 내가 매일매일 좌절하고 눈물로 하루하루를 살아갔을 때 메모장에 적어 내려간 간증문이다. 그리고 교회 성도들 앞에서 간증하기도 한 내용이다. 나는 크리스천이다. 낯선 여행길에서 만난 하나님은 내 삶을 지탱하는 힘이기도 하다. 아직 너무나도 부족한 '나'이기에, 언제 다시 교만해질지 모르기에, 또 내 의지, 내 뜻대로 살아갈지도 모르기에 본 내용을 내 마음 깊이 다시 새기고 싶었다. 잊지 말자는 의미에서.

조금만 지나면 상황이 나아질 거라 생각했다. 하지만 그게 생각대로 되지는 않았다. 상황이 나아지기는 커녕 내가 스스로 감당하기 힘든 일들을 계속 직면하게 되면서 모든 것을 정리하고 싶다라는 마음까지 생겼었다.

난 나름 크리스천으로서 살아가고 있다고 생각했었다. 그런데 힘든 일들을 계속 직면하면서 말씀을 보고 기도하는 것도 집중하기 어려워지기 시작했다. 나에게 일어난 모든 일들이 이해가 어렵고 억울한 일도 있었다. 그럼에도 불구하고 그 시간들 또한 하나님께서 나를 훈련 시키시려고 허락한 시간이라고 생각하기로 마음을 먹었었다. 소망과 절망 중 소망을 선택했다. 그렇게라도 살고 싶었나 보다. 여전히 내 마음에는 답답함과 우울함이 가득했고 내 존재가 싫었다. 그런 마음이었지만 난 소망을 선택했기에 매일 우울함 가운데서도 살아가려고 발버둥을 쳤다.

처음에는 너무 지칠 대로 지쳐 있었고 버틸 힘도 없어 기도도 되지 않는 날이 연속이었다. 그래도 어떡해서든 나의 마음을 달래보고자 새벽 기도를 나가기 시작했던 것 같다. 새벽 기도를 시작한 지 2달 정도가 지났나? 그때 목사님의 말씀을 통해 나에게 들려오던 하나님 음성이 있었다. '유선아, 난 쉰 적이 없다. 널 위해 지금도 일하고 있다. 다른 사람이 아닌 날 끝까지 믿어보렴'이었다. 그때 였던 것 같다. 갑자기 눈물이 나고 그저 감사할 뿐이었다. 그리고 깨달은 것이 있었다.

늦게까지 일하고 몸이 많이 힘든 데도 아침마다 일찍 깨우고 새벽 기도로 이끄신 분은 하나님이었다는 것을. 그러면서 실수가 없으신 하나님이 나를 단련하여 주시고 오늘의 어려움이 나의 고백이 되고 내가 믿는 '소망'을 바라보는 영적인 기쁨이 내 마음에 생기게 되었다. 그리고 더욱 감사한 것은 나의 어려움으로 나 밖에 생각하지 못했던 미숙한 내가 이제는 주위의 나같이 힘들어 하는 사람들의 마음을 더욱 이해하고 사랑할 수 있는 마음을 주셨다.

그럼에도 사실 나는 요즘에도 강의하러 가는게 두렵다. '오늘은 누구한테 어떤 말을 들을까?' '오늘은 어떤 학생을 만날까?' '오늘은 연구 진도가 좀 나갈 수 있을까?' 일하러 갈 때마다 생각하는 것 같다. 어느 순간부터는 일하러 가는 게 기대감을 가지고 나가는 게 아니라 무거운 돌을 메고 나가는 것 같다. 교회에서 말씀을 듣고 나와도 교회에서 나오는 순간 솔직히 두려운 생각들이 몰려올 때도 있다. 그렇게 난 아직도 부족하고 나약한 존재니까.

하지만 괜찮다. 나를 사랑하시는 하나님이 나의 연약한 모습 모두 아시고, 있는 모습 그대로 받아 주시는 걸 알고 늘 말씀을 통해 베푸실 깨달음을 기대하니까.

그리고 이런 매일의 영적 싸움의 과정 끝에는 "잘 했다 내 딸아" 하시며 나의 목적지에 나도 모르는 사이, 도착해 있을 것이라는 확신이 있기 때문이다. 난 그래서 매일매일이 기대가 된다.

Part 2.
낯선 여행 길에서 만난 여행자들

나무 좋아하세요?

'어디서 나무 자르는 소리가 난다. 나무 냄새 너무 좋다. 어디서 자르는 거지?'

한강진 역에서 한남오거리 방향으로 천천히 걸어가다 갑자기 편백나무 냄새가 내 코를 찔렀다. 그 순간 나도 모르게 난 그 자리에 멈춰 섰다. 그리곤 계속 주변을 둘러보고 있었다. 그러면서 눈에 들어오는 건물이 하나 있었다. 통유리로 된 건물에서 누군가가 나무를 자르고 있는 모습이었다. 작업복을 입고 고글을 착용한 가구 디자이너가 나무를 자르는 모습을 직접 내 눈으로 본건 처음이라 신기했다.

2년 전, 도마 만들기 원데이 클래스를 들으며 (이때는 잘려 있는 나무를 가지고 수업을 들었다.) 나무의 매력에 푹 빠지면서 '나무에 대해 조금 더 알고 싶고 계속 가구를 만들고 싶다.'라고 생각했던 기억이 떠올랐다. 나무 냄새가 그립던 참에 가구 디자이너의 작업을 본 거다. 퍼펙트 타이밍 아닌가! 누가 부르지도 않았는데 나는 이미 뭔 가에 홀린 듯 공방 안으로 들어가고 있었다. 그리곤 가구 디자이너와 눈으로 인사를 하고 나무 냄새를 느끼기 시작했다. 공방 안에 울려 퍼지던 첼로 선율도 나무 자르는 소리와 너무 잘 어울렸다. 첼로 선율과 나무 냄새에 취하며 가구 디자이너가 만든 작품들을 감상하고 있었다. 그때 그 한적함을 깨고 가구 디자이너는 말을 걸어왔다.

"나무 좋아하세요?"

보통 그런 데 가면 '무엇을 도와드릴까요'라고 묻는 게 일반적인데 그 가구 디자이너는 달랐다. 수줍게 웃으며 그 분위기를 깨고 싶지 않아 작은 목소리로 나는 이야기를 건넸다.

"나무 냄새가 참 좋네요. 항상 좋은 나무 냄새 맡으며 작업하셔서 너무 좋겠어요. 그런 모습이 멋있네요."

가구 디자이너는 사용하던 장갑을 털며 말을 이어간다.

"멋있다고 해주셔서 감사합니다. 근데… 항상 좋은 냄새만 맡는 건 아니에요. 그렇지만, 사람의 코를 자극하는 안 좋은 냄새 또한 좋아 전 이 일을 하고 있습니다. 선생님께서 무슨 일을 하시는지는 모르겠지만 선생님이 하시는 일에도 단맛이 있고 쓴맛이 있을 거예요. 누군가는 선생님 일 또한 '보기 좋은' 일이라고 생각해 멋지다고 느낄 수 있죠. 그 말인즉슨 누군가 또한 선생님 하시는 일이 멋있어 보일 수 있다는 거죠. 사람 사는 게 다 똑같아요."

'자기 일을 사랑하고 남의 마음을 헤아릴 줄 아는 사람이구나.'

사람은 일의 단점까지 포용하고 즐길 때 가장 빛난다. 그리고 상대가 즐기며 일하고 있다는 것 또한 바라보는 다른 이의 눈에도 그 마음이 보인다. 사람은 영적인 동물이기에 다 통하기 마련이기 때문이다.

전문가들은 세상에 너무 많다. 어떤 기준을 가지고 모든 분야에서 전문가를 평가하는지 나는 모른다. 그런 나로서는 '상대에게 감동을 주고 그 일을 정말 사랑하고 있음이 느껴지는 사람'이다. 사람들이 다들 좋아하는 사람, 이름이 알려진 사람이 아니라 어떤 분야든 한 사람이라도 그로 인해 마음이 움직이고 넓은 관점을 가질 수 있는 계기가 되었다면 그게 진정한 전문가 아닌가!

상대의 마음을 울리는 사람들은 꼭 세상이 본인 중심으로 돌아가지 않는다. 항상 상대의 마음을 먼저 들여다보고 이해하려고 한다. 그런 사람에게서 나온 말에는 항상 힘이 느껴진다.

분명 내가 만난 가구 디자이너는 내가 왜 공방을 찾게 되었고 나무 향을 느끼며 살아가 좋겠다는 말의 의미를 알아차렸을 것이다. 본인의 경험을 통해 나를 위로하고 감동케 했다. 그건 정말 대단한 능력이다.

그 가구 디자이너는 버릴 나무라며 편백나무, 그리고 오동 나뭇조각을 나에게 건넸다. 향만 느끼다 손으로 꺼끌꺼끌함을 느껴 그런가 복잡한 감정이 들기 시작했다.

"어때요? 만져보니 생각보다 별로죠? 근데… 애정을 가지고 내 시간을 써가며 나무를 만지고 만지다 보면 언젠가는 선생님이 느낀 나무 냄새와 모양을 찾아가게 되죠. 그 맛에 오늘도 나무를 자르는 거 같아요" 마음에 울림이 있었다. 그리곤 나의 일을 떠올려 본다.

'아 맞아. 내가 하는 연구 또한 애정을 쏟다 보면 언젠가는 완성이 되고 세상에 나가게 될 거야.'라는 생각이 들었다.

그 순간만큼은 그 가구 디자이너가 누구보다도 대단하게 느껴졌다. 소위 사람들이 말하는 전문가들을 많이 만나본 편인데 나의 마음에 울림이 있었던 적은 너무 오랜만이었던 것 같다. 그날 약속 시간을 약간 늦으면서까지 거기 있었던 것은 정말 잘한 일 같다. 그날 나무 냄새를 맡으러 들어간 게 아니라 한 사람의 진심을 보려고 나도 모르게 그곳으로 발길이 향한 게 아닌가 생각해 본다.

왠지 그렇게 하면…

"어쩜 너는 너만 생각하고 다른 사람들을 힘들게 하니?"
"나에 대해서 제대로 알지도 못 하면서 함부로 평가하고 이야기 하지마."

참다 참다 결국 터지고 말았다. 내 친구를 평가한 적은 없는데 너무 억울했다. 하지만 나는 이런 감정을 느끼다 가도 '분명 그 친구도 그렇게 행동한데에는 이유가 있었겠지?'라는 생각이 드는 편이다.

그렇다고 내 친구를 완전히 이해하는 것은 아니다. 그저 이해해 보고자 노력하는 것 뿐. 그렇게 이해해 보고자 그의 의도와 생각을 물었다.

'왜 상대는 나의 생각을 묻지 않는 거지?'
'왜 일방적으로 나에게 이해만을 요구하지?'

답답한 마음을 가지고 스트레스를 해소하고자 테니스를 야구 방망이 휘두르듯 쳤다. 실내 테니스 코트에서 땀 흘리며 열심히 치고 있는데 상대 선수가 내 눈에 들어왔다. 평소 같으면 상대 선수에게 테니스 공이 방향성 없이 여기저기로 던져주는 것 같아 미안한 마음이 들었을 텐데. 이상하게 미안하다는 생각이 전혀 들지 않았다. 솔직히 상대 선수가 오늘 내가 아닌 다른 선수들과 테니스를 쳤더라면 게임다운 게임을 했었을 텐데. 하필 오늘 나를 만나서. 너는 오늘 나와 게임을 한 것에 대해 후회를 하고 있을까 아니면 함께 해서 다행이다 싶을까?

언젠가 학교 캠퍼스를 걷고 있을 때도 그랬다. 지난 학기 내 수업을 듣던 학생 2명이 슬픈 표정을 지으며 벤치에 앉아있는게 아닌가. 오랜만에 말을 걸어보았다. 그 친구들은 중간고사를 망쳐 굉장히 우울하다고 말했다. 수업 때마다 들고 다녔던 카라멜 캔디가 생각이 났다. 그래서 학교로 뛰어가서 내 가방에 있던 사탕을 가져왔다. '학생들은 사탕을 먹으면 좀 기분이 나아지겠지?'라는 생각으로 학생들에게 사탕을 건넸다. 그런데 고맙다는 말과 함께 사탕을 본인들 주머니에 넣고 벤치에서 일어 나는게 아닌가! 난 너희가 분명 좋아할 줄 알았는데.

오늘 나를 만나 기분이 좋았을지 아니면 후회를 하고 있을지는 상대 선수가 되어보지 않고 서는 이해할 수 없다. 학생들이 정말 캔디를 받은 것에 대해 고마워 하는지, 아니면 나를 만나서 기분이 나아 졌을 지는 내가 그 학생들이 되어 보지 않아 모른다. 아무 것도 모르는데 왠지 그렇게 하면 내 기분, 아니면 상대의 기분이 나아질 것 같아 그렇게 해 본거다.

어쩌면, 이해를 강요하던 친구 또한 왠지 그렇게 하면 나와의 관계가 나아질 것 같아서 그렇게 말하고 행동했던 건 아닐까?

서로를 완벽하게 이해하는 건 이렇게 어려운 일 일까? 난 여전히 그 친구를 이해하기 어렵다. 그리고 거리를 두고 싶은 게 내 솔직한 심정이다. 하지만 계속 얼굴 보며 지내야 할 사이이니, 그리고 참된 크리스천으로 살아가기 위해 이해해 보려고 한 거고, 화풀이 대상으로 상대 선수를 선택한 거 같아서 미안한 마음이 든 거고, 학생들이 조금이나마 기분이 나아지길 바라는 마음에 캔디를 건넨 거다.

다시 그 친구를 찾아가 본다. "나의 생각은 들어보지도 않고 나에게만 이해를 바라는 것 같아서 기분이 안 좋았던 거야. 하지만 너의 이야기는 잘 들었어. 이해해 보려고 노력해 볼게. 너도 내 이야기를 들어줄래? 왠지 이렇게 말하고 싶더라고."

알면 알 수록 더 모르겠는 사람 관계. 어렵다.

믿음 소망 사랑 그 중의 제일은 사랑

우리 집에 놀러 온 내 후배가 나에게 자신이 요리한 음식을 맛보여주고 싶다고 엔초비 파스타를 가지고 왔다. 엔초비 파스타는 랩미팅을 하다가 갑자기 생각이 나 먹고 싶다고 말했던 음식이다.

"언니, 언니가 지난 번에 엔초비 파스타 먹고 싶다고 한 것 같아서 만들어 봤어요."

나는 그녀의 요리 실력, 엔초비 파스타 맛 그런 건 중요하지 않았다. 랩미팅 때, 갑자기 전날 밤 유튜브로 고든 램지가 요리하는 엔초비 파스타가 생각나 그냥 한 말이었다. 이제 엔초비 파스타를 볼 때마다 내 후배가 생각난다.

사람들 앞에만 서면 자꾸 작아지는 내 모습이 보기 싫어 내 소중한 친구들까지도 멀리하며 혼자 시간을 보냈던 적이 있다. 분명 피하고 있다는 것을 알았을 텐데 끝까지 포기하지 않고 나에게 손을 내밀어 준 친구가 있다. 목요일 저녁이나 금요일에 어김없이 그녀로부터 아이 메시지가 도착해 있었다. 그 친구는 나에게 한 번도 '무슨 일 있으세요?' '힘내세요.'라는 말을 한 적이 없다. 아무 일 없다는 듯 '한 주는 어떻게 보내셨나요? 주말엔 릴렉스 하며 따뜻하게 보내셨으면 좋겠어요.' 그녀의 짧은 메시지는 세상 밖에 나와 있는 어떤 문장들 보다 따뜻했다. 이제 내가 동굴로 숨어버리고 싶을 때, 힘들어하는 누군가에게 나도 메시지를 보낼 때마다 내 친구가 생각이 난다.

함유선

사랑하는 사람과 공원을 산책했을 때다. 여름 밤공기가 좋았나? 선선했던 바람에 내 고민을 날려버리고 싶었나? 전보다 자신감이 많이 떨어진 것 같다는 고민을 털어놓았다. 조용히 듣고 있던 그는 "너의 자신감 회복을 위해 내가 뭘 해 줄 수 있을지 오늘부터 고민해 봐야겠네."라고 말했다. 처음에는 그렇게 말해 준 것만으로도 고마웠다. '그거면 충분해'라고 생각했다. 하지만 매일매일 나에게 했던 말을 지키기 위해서인지 '넌 어떤 모습이든 가치 있는 사람이야'라는 걸 표현하듯 내 말에 항상 귀를 기울여주고 열받는 일이 있으면 나보다 더 열을 내주곤 했다. 이제 나는 여름밤 선선한 바람을 맞을 때면 그와 산책했던 그 시간이 생각난다.

누군가의 배려가 섞인 사랑이 느껴질 때마다 내 마음이 따뜻해진다. 예민하기도 하고 눈치도 있는 편이라 그런 사랑은 금방 알아차린다. 그저 모르는 척할 뿐. 그리고 그들의 사랑을 통해 나 자신을 돌아보고 나 또한 그들을 위해 무엇을 해 줄 수 있을까를 고민해 본다.

나 자신의 행복이 우선이 아닌 상대를 어떻게 하면 행복하게 해주고 긍정적 에너지를 줄 수 있을까 고민하는 것. 경험해 보지 않은 다른 누군가의 삶을 이해하며 나아가는 것. 작은 것 하나도 놓치지 않고 기억하고 있다고 표현하는 것. 그리고 그들의 관심 표현이 나 또한 변화하게 만드는 것. 그것이 사랑의 힘 아닐까? 사랑이라는 것은 나 자신도 몰랐던 나의 모습을 보게 만들어 준다. 나를 변하게 만든다. 한 사람을 어제보다 오늘 더 잘 살고 싶게 한다.

지금 나는 사랑을 다른 이에게 주는 사람일까?

기다려주지 않아요

나와 가까운 사람부터 챙기고 작은 것 하나에도 감사함을 가져야 한다는 이야기는 언제나 나를 깨우게 한다. 가깝게 지내는 가족, 친구들은 언제나 떠나가지 않고 내 곁에 있는 사람이라는 착각을 하며 그들이 늘 내 곁에 있는게 당연시 되어가고 있는 것은 아닐까?

친할머니가 병상에 누워있기 전, 내가 할머니 댁을 방문할 때마다 할머니는 버선발로 뛰어나오셨다. 그리고 밥상에는 내가 좋아하는 음식들이 가득이었다. 또 내가 집으로 돌아갈 때면 없는 돈 긁어모아 용돈을 챙겨 주시고 헤어질 때면 내 모습이 할머니 눈에서 사라질 때까지 계속 바라보고 계셨다. 그런 할머니가 난 언젠가부터 부담스러웠다. 그 사랑이 너무 커서… 할머니의 사랑만큼 내가 보답을 못 해 드리는 것 같아서 어렸을 때만큼 살갑게 대하지는 못했던 것 같다. 또 할머니 자신을 먼저 지키는 게 맞다고 생각하는 데 나를 위해 모든 것을 내어주는 것 같아 그게 싫었다.

"행복에 겨워 그래." 할머니 이야기를 할 때면 내 친구들에게 듣는 말이다. 나도 안다. 그래서였나? 할머니는 늘 내 편이고 늘 내 곁에 있을 것이라고 생각했나 보다. 휴가로 한국에 나갈 때면 할머니는 뒷전이었다. 가족들 보다 직장이나 취미 생활을 하다가 만난 새로운 인연들에게 더 많은 시간을 썼던 것 같다.

그러던 어느 날. 엄마로 부터 전화가 왔다. 그날 따라 이상하게 그 전화는 받아야 될 것 같은 느낌이 들었다. "000병원으로

와."

　뼈 문제로 병상에 누워 계시기는 했지만 갑자기 위독할 일은 아닌데 이상하다는 생각을 했다. 코로나였다. 황급히 병원으로 향했다. 향하는 길. 많은 생각들이 내 머리를 조이는 듯한 느낌이 들었다. 한국에 온 지 2주가 다 되어가는데 찾아뵙지 않은 나 자신이 너무 싫었다.

　병원에 들어서자마자 가족들은 카페에 축 처진 어깨를 보이며 앉아 있었다. 그리곤 중환자실에 가 할머니께 인사를 하고 오라고 하셨다. 코로나다 보니 유리창 너머로 인사를 해야 했고 면회하는데 가족 수 제한이 있지만 손자 손녀까지는 허락해 줬다는 이야기를 들었다.

　그렇게 나는 무거운 마음으로 할머니를 유리창 너머로 볼 수 있었다. 많은 의료기기들 때문에 할머니 모습은 제대로 볼 수 없었다. '할머니가 사랑하는 손녀가 왔는데 달려 나오셔야죠', '할머니 따뜻한 손 다시 잡아 보고 싶은데…', '죄송하고도 사랑합니다'. 할머니에게 하고 싶은 이야기들을 그제야 해 보았다.

　우리 올 때까지 기다리신 걸까? 그렇게 중환자실을 나오고 1시간도 지나지 않아 우리 곁을 떠나셨다. 왜 나에게 준비할 시간도 주지 않고 갑작스러운 이별을 받아들여야 하는지 하나님이 원망스러웠다. 왜 나는 내가 사랑하는 사람들은 언제나 그 자리에 있을 것이라고 생각한 걸까? 나에게 사랑을 아끼지 않으셨던 할머니에 대한 감사함이 터져 나왔어야 했는데 당연시되어 오히려 불평불만을 말하고 있었던 내가 참 한심스러웠다.

할머니 찾아 뵐 때 늘 언제나 환한 얼굴로 할머니와 마주했더
라면.

할머니가 준비한 음식을 감사함을 가지고 맛있게 먹었더라면.

할머니가 주신 용돈으로 할머니 드실 과일을 사왔더라면.

"할머니, 천국에서 평안하시죠? 할머니가 사랑하는 우리 가족
들 시간 될 때마다 함께 시간 보내고, 할머니가 보여주신 사랑 가
족들과 나누며 잘 지내고 있을 게요. 우리 천국에서 웃는 얼굴로
다시 만나요."

오늘도 나는 남아있는 가족들에게 전화를 건다.

쓰담쓰담

오전 6시 45분. 자연스럽게 눈이 떠지는 내가 싫었던 적이 있
었다. 하늘이 원망스러울 정도였다. 새로운 날을 맞이 하는게 두
려웠다. 길을 걸어갈 때면 주변 사람들이 나를 손가락질하며 지나
가는 것 같았다.

'분발하지 않으면 취직이 어려울 수 있어.'

'연구 이번에 몇 개나 했어?'

'저 동료는 저렇게 하는데 넌 뭐 한거야?'

'선생님 수업 지루해요.'

함유선

사실이 아닌 부정적인 생각들에 사로잡혀 하루하루를 버텨내고 있었다. 주변 친구들이 나의 안부를 물을 때면 "괜찮아. 좋은 결과를 내기 위한 과정이니까 하루하루 감사하며 잘 지내고 있어."라며 굉장히 괜찮은 어른인 척을 한 것 같다. 그 말을 하고는 '멋있게 나이를 먹어가고 있다'며 나 자신을 스스로 뿌듯하게 생각하기도 했다.

그러던 어느 날, 1년 만에 학교 선배를 만났다. 자주 통화를 하곤 했지만 얼굴을 본 건 너무 오랜만이어서 반가웠다. 우린 어제 만났던 사람처럼 정신없이 웃고, '우리 동네에 새로 오픈한 빵집이 맛있다', '그 뷰티 제품 너무 좋더라' 등 일상을 이야기하기 바빴다. 그렇게 2시간 정도가 흘렀나 보다. 언니는 딸 픽업할 시간이라고 이제 자리에서 일어나자고 했다.

용산역. 많은 사람들이 분주하고 바쁘게 움직이고 있었다. 누군가는 약속 시간에 늦었는지 어딘가로 헐레벌떡 뛰어갔다. 또 다른 누군가는 업무 일을 핸드폰으로 이야기하며 어딘가로 가고 있었다. 그런 곳에서 나는 언니와 헤어지기 싫어서인지 느긋하게 걸어가고 있었다.

기차 타는 플랫폼 앞. 언니의 팔짱을 끼고 아무 말 없이 기차 오기를 기다리고 있었다. 기차가 들어오고 있다는 안내 소리. 난 시간이 없다는 생각에 랩 하듯 오늘 우리 만남의 감상평을 하고 있었다. 언니는 미소로 답을 해주었고 곧 다시 보자고 했다. 그렇게 서로의 팔짱을 풀고 말없이 손짓으로 바이바이를 하고 난 뒤 돌아섰다. 그렇게 5발자국 정도 갔을 때인가… 뒤에서 익숙한 목소리로 들려오는 내 이름. 성姓까지 붙여서 이름을 부르는 것 보니 뭔가 중요한 이야기인가보다. 기차에 언니의 몸을 싣기 전 언니는 나에게 다가와 아무 말 없이 머리를 쓰담쓰담 해주는게 아닌가. 그리곤 언니는 뒤돌아 기차로 향했다. 난…그 자리에서 얼음이 되었고 눈시울이 붉어졌다. 마음이 녹아 내리는 느낌이 들었다.

언니는 안 거다. 내가 씩씩한 척을 하고 아무 일 없었다는 듯 이야기를 이어 나갔어도 지금 나에게 가장 필요한 건 휴식과 위로라는 것을.

주변에 사람들은 많지만 어느 누구에게 마음을 나눠야 할지 더 모르겠는게 요즘 세상이다. 그리고 경쟁자가 점점 더 늘어나고 있는 세상이다. 그 덕에 나의 진짜 마음을 숨기게 되고, 손해보기 싫어 상대의 태도를 머리 굴려 관찰하고, 남의 시선이 중요해 쿨한 '척' 하는 사람이 되어가고 있었다.

그래서 그런 언니의 마음이 더 귀하게 느껴졌다. 진심으로 나를 생각해 주는 사람. 바쁘고 시간이 없지만 서도 나라는 사람 하나 때문에 달려와준 사람. 굉장히 쉬운 일이라고 생각할 수 있지만 마음과 마음이 전달 되는 건 절대 쉬운 일이 아니다.

상대의 마음을 알아채고 진심을 담아 위로를 전달하는 일. 나에게는 얼마나 자주 이런 일이 일어나겠어 생각했지만 그건 알 수 없다. 누구에게나 한 번은 주변인들이 "나 좀 도와주세요. 위로해 주세요" 하며 찾아오는 날이 올 수 있다. 아무리 힘들다고 표현하는게 서툰 사람이라도 복받쳐 오르는 감정 때문에, 또는 말할 데가 없어서 찾아오는 사람이 올 수 있다.

어떤 식으로 '나 힘들어요'를 표현할지는 모르겠지만 그런 사람이 나에게 찾아오면 머리를 쓰담쓰담해주고 싶다. 쓰담쓰담이 그 사람에게 지금 가장 필요한 것일 수 있다. '넌 잘 될거야', '지금은 하나의 과정일 뿐이야' 라는 짧은 말 보다 쓰담쓰담 하나로 힘들었던 모든 날을 위로받는 기분, 이 기분이 사람을 살리는 것 아닐까. 마음이 답답하고 썩어 문드러져가는 사람이 그것 만으로 살아 날 수 있음을 생각하면 그렇게 하지 못했던 과거에 마음이 아프다.

그 날, 언니의 쓰담쓰담이 나에게 위로를 줬다. 그리고 그것을 경험한 난, 말없이 찾아오는 친구들이 있다면 주저하지 않고 먼저 다가가 껴안아 주거나 쓰담쓰담을 해 줄 용기가 생겼다.

그동안 많이 힘들었지? 넌 잘못한게 없어. 잘 하고 있어.

그들이 사는 세상

"카시오페아. 모두가 의미 없다고 말하는 별들이라도 저 천체들 속에서 저마다의 세상이 있어. 이 별들을 잘 이어가다 보면 이미지의 여행 속에서도 아름다운 결론에 도착할 수 있지"

-드라마 멜랑꼴리아 16화 중-

육아에 지쳐 있는 지연이
개인 사업을 하겠다며 15년 다닌 회사를 때려치우고 나온 철민이
결혼한지 10년 만에 임신이 되어 행복을 외치고 있는 희진이
올해는 연봉을 40% 이상 올리겠다며 소처럼 일만 하는 명철이
법원을 왔다 갔다 하며 소송 건을 해결하느라 정신없는 재석이
박사 학위를 위해 가족과 떨어져 타국에서 열심히 연구 실적을
쌓고 있는 유민이

사는 게 바빠
매일 연락하지는 못해도
저마다의 방식으로 다들 열심히 살아가고 있는 것 같아 섭섭하지
않다. 그들이 꿈꾸는 "아름다운 결론"에 도착하기 위해 꿋꿋이
열심히 살아가고 있다는 것을 알기에.

그러다 사는게 너무 힘들어 연락을 해 와도
아무것도 묻지 않고 안아줄 것이다.
또 너희는 지금도 어떤 형태로든 반짝반짝 빛나고 있다고 말해
줄 것이다.
너희들 만의 세상에서 모두 잘 지내고 있니?

함유선

박상빈

· 낭만인간

민들레

본래 연약한 들풀이라
아무리 미워도 사랑할 수밖에 없는
죽을 때까지 여리고 하나뿐인 마음이어서
모든 감정을 사랑할 줄 아는 사람을 동경했습니다.

강물의 더러움을 받아들이면서도
스스로는 더러워지지 않는 바다처럼
인간세계에 살면서도
결코 더러워지지 않는 영적이고 지혜로운 사람

별빛이든
달빛이든
새벽의 선선한 바람이든
닿을 수 있는 모든 것이 되어 찾아가겠습니다.
순수함만을 담아 지그시 안아주세요.

박상빈

물감

천천히 아무런 티 없이
조용하게 다가와

어느새 해는 길어졌고
들어오는 숨도 시려와

아른하게 져가는 노을은
눈동자에 붉게 번졌고

붉게 물든 한 방울은
당신과 나를 적셨다.

박상빈

사랑

핏덩어리 묻은 나의 피부에 닿았던
부모님의 체온과 호흡

세상의 모든 색을 보여주었던
엄마의 눈동자

바쁜 평일이 지나고 기꺼이 가족에게 헌납한
아빠의 주말

우리 집 복도에서 항상 풍기던
저녁밥 냄새

몇 안 되는 표현 듬뿍 담아 썼던
부모님께 보내는 편지

동생이랑 같이 먹으려고 용돈 모아 샀던
학교 앞 국물 떡볶이

항상 응원과 칭찬으로 넘쳤던
담임 선생님의 빨간 글씨

종례시간 들어 올린 책가방 옆 주머니에 꽂혀있던
너의 편지와 사탕

우리가 주고받았던
웃음과 장난

못난 어른의 욕심으로 금이 갔던
너와 나의 우정

한 사람을 두고 시기 질투했었던 못나고 미성숙한
우리의 경쟁

수학여행, 떠나보내는 시간을 못내 아쉬워하다 맞이한
푸르스름한 아침 하늘

장례식장에서 걸려온
너의 목소리

수능 날 아침 교문 앞을 가득 채웠던
응원의 발자국

도망치던 너의 인생을 바꿀 수 있다고 생각했던
나의 오만

과제를 핑계로 밤새 나의 어깨를 빌리던
너의 향기로웠던 머리카락

나의 세계를 넓혀준
너의 지혜와 헌신

박상빈

그리고 잃어가던 나의 순수를 찾아준
지금의 너

나와 함께 살아온 사랑은
일방적이지만 함께였으며
그립고 아프지만 후회는 전혀 없는
함께여서 무서울 것 없었고
고독했지만 풍요로웠던
그런 이상한

그런 거였다.

떠돌이 강아지

너에게 사랑은 뭐였을까
네가 선택하지도 않은 사랑 때문에
결국 넌 죽었다.

나도 참 나빴다.
고독에서 도피하기 위해 널 만났다.
너는 나에게 그저 위로받기 위한 수단이었을지도 모른다.
너의 눈동자엔 원망과 증오 따위 존재하지 않았다.
진정으로 사랑해 줄 누군가를 찾는 눈동자도 아니었다.
고독만 있었다.

누구에게나 기회는 찾아온다고 하더라.
그런데 너는 저 흔하고 진리처럼 추앙받는 말에도 선택받지 못했다.
구원받지 못했다.
그래서 너를 선택했다. 나는 잠시나마 구원자가 되었다.
대단한 사람이 된 것 같았다.
내가 주는 시선과 행동들이 너에게 축복이 될 거라 생각했다.
오만이었지.

고독한 눈동자를 가진 너는 내가 건넨 손을 그저 잡았다.
아무런 바람이나 의미 따위 없이 그저 잡았다.
우리는 대화가 없었다.

정적이 어색할 때마다 잠시 눈을 마주칠 뿐이었다.

박상빈

만남부터 헤어짐의 순간까지도 대화는 없었다.
조금은 후회가 된다.
사랑한다고는 못해줘도 끝까지 너의 옆에 있어 줄 사랑이 올 거라고
꼭 그런 사랑이 올 거라고 말해줄걸.

우리는 같이 걸었고 여전히 대화는 없었다.
내가 좋아하는 산책을 너도 좋아했다.
누군가와 같이 걷는 게 세상 전부인 것처럼 너의 눈동자는 조금 들
떠있었다.
오만한 구원자는 스스로 흡족해했다.
그저 건넨 손과 무심하게 맞춰지는 보폭 속에서 한동안 걸었다.
바람이 우릴 왼쪽으로 밀면 거기로 갔다.
걸었던 길을 또 걷게 돼도 그냥 걸었다.
봄이 만개했던 5월의 어느 날
우리는 맥도강 길을 다 걷고서야 돌아갔다.

돌아가는 길, 아쉬울 법도 한데 너의 발걸음은 무겁지 않았다.
속으로 '조금 더 걷자고 하면 어떡하지, 아쉬워하는 널 어떤 식으
로 달래줘야 하지'하고 걱정했던 난 잠시 바보가 되었다.

「또 올게.」
나는 거짓말쟁이가 됐고 너는 얼마 후 죽었다.

「기다리고 있을게.」
「응. 그래. 아주 나중에 다시 만나면 같이 또 걷자.」

이 세상에 태어난 생명은 모두 죽는다. 어쩔 수 없는, 모두가 당연시 알고 있는 진리이다.

삶은 곧 죽음이고, 피할 수 없는 우리의 운명이다. 작년에 내가 만났던 아이. 그 아이의 죽음도 어쩌면 세상의 이치라고 말할 순 있겠지, 하지만 이 죽음에 있어서 나는 조금 진절머리가 났다. 진절머리가 나다 못해 화가 났다. 죽음은 선택의 영역이 아니라지만 이런 죽음은 다르다. 태어난 순간부터 모든 것이 사람에 의해서 정해지는 동물들의 생명을 뭐라고 생각하는가. 그들은 그저 도구, 물건에 불과한가. 아니다. 적어도 그들과 조금의 교감을 해 본 사람이라면 그렇게 쉽게 말하지 못한다. 저들이 가지고 있는 감수성의 깊이는 가끔 인간의 것을 뛰어넘을 때도 있다. 언어로 전하지 못하는 그 순수하고 진한 감수성. 적어도 그 순수를 짓밟지 말자. 차라리 그냥 무관심하자. 감당하지도 못할 오만한 사랑 따위 시도조차 하지 말자. 사랑은 때로는 잔인하고 죽음마저 가져온다. 저 작은 아이는 인간의 오만하고 책임감 없는 사랑 때문에 죽음을 당했다. 안락사, 편안하고 즐거운 죽음.

과연 누구의 안락일지. 누구의 즐거움일지.

박상빈

아저씨와 가로등

어릴 적 당신의 아들만큼이나 나를 예뻐해 주셨던 아저씨가 있었다.

아저씨는 목소리도 우렁차고 체격도 커서 아직 어리고 작았던 나는 아저씨를 조금 무서워했었다. 아저씨의 투박한 친절함도 조금 부담스러웠다.

나는 자라서 고등학생이 되었고 아저씨는 고등학생 아들은 둔 아버지가 되었다.

야자를 끝내고 집으로 가는 길, 아파트 옆 라인에 사셨던 아저씨는 아들을 기다리며 담배를 태우고 계셨다.

「안녕하세요.」
「학교 끝나고 오니? 고생했다.」

나는 자연스럽게 아저씨 옆에 앉아 오 분 남짓 이야기를 나누고 집으로 들어가곤 했다.

어렸을 때 아저씨는 세상 무엇도 이겨낼 것 같이 든든한 느낌이었는데 시간이 지나보니 아저씨 얼굴에는 걱정 묻은 주름만 가득했다.

쓸쓸해 보였고 뱉어내는 담배연기에 슬픔이 가득했다.

가끔 얼른 집에 가고 싶어 아저씨가 없는 계단으로 돌아갔을 때 당신의 외로움은 누가 달래주었을까.

하루는 나에게 그러셨다.

「빈아. 아들이 사춘기가 와서 많이 방황하는 것 같아 걱정이다.」
「걱정 마세요.」

나도 사춘기를 겪는 소년이었기에 아저씨의 걱정에 완전히 공감하지는 못했다.

그냥 인사치레하듯이 걱정하지 말라는 무심한 말 한마디 건넨 게 끝이었다.

초등학교 이후 다른 학교에 진학하면서 자연스레 연락이 뜸해진 친구에게 안부 인사 정도라도 해볼 걸 그랬다.

그 후로 아저씨가 앉아계셨던 계단에는 당신의 그림자 대신 가로등 불빛만 가득했다.

혼자 앉아보니 아저씨가 크긴 크구나 싶었다. 그 가로등 불빛을 다 가리던 당신의 그림자.

아저씨는 더 이상 계단에 앉아계시지 않았다. 그 후로 일 년이 넘도록 우리는 마주치지 않았다.

시험 전 날 독서실에서 공부하고 있었는데 전화가 왔다.

아저씨가 돌아가셨다고 했다.

하 거짓말.

당장이라도 계단에 가면 여전히 아저씨가 앉아계실 것 같았다.

매일 밤 익숙한 가로등 불빛 아래 앉아있던 아저씨.

한 번쯤은 아저씨와 더 깊은 대화를 나누어볼걸. 무심했던 내가 미워지는 순간이었다.

나는 알 수 없는 죄책감에 그 가로등 불빛을 한동안 피했다.

「아저씨, 저는 빨리 어른이 되고 싶었거든요?

근데 어른이 되어보니 이제는 아이가 되고 싶어요. 참 웃기죠.

아직 어린 나에게 세상은 많이 두렵네요.

아저씨의 담배연기가 조금은 이해가 되는 것 같아요.

아저씨, 그때는 겁이 나서 못 갔어요. 인정하고 싶지 않았어요. 정말 죄송해요.

박상빈

나중에, 나중에 소주 한 병 들고 나의 친구, 아저씨 아들이랑 같이
찾아갈게요. 고마웠습니다.」

필담

거짓말 조금 보태서 최근 몇 달 동안 손글씨를 쓴 적이 없다. 일상
에서 단 한 번이라도 손으로 글씨를 써야 하는 상황이 없었다는 게
조금 놀랍기도 하고 슬프기도 하다. 문득 나의 손글씨에 대한 기억
하나가 떠올랐다.

학창 시절, 책 더미 속에서 날 법한 고즈넉하면서도 포근한 냄새를
닮은 추억이 있다. 고삼 때 독서실에 다니다가 겪은 일인데 그때도
공부 용도로만 손글씨를 썼지 누군가에게 내 마음속 말들을 표현
하는 용도로 손글씨를 쓰는 일은 거의 없었다. 생각해 보면 휴대폰
과 굉장히 유대 깊은 세대이기 때문에 애초에 저런 용도의 손글씨
와는 거리가 멀었다고 생각한다. 아무튼 난 독서실에서 누군가와
'필담'을 나눈 추억이 있다.

필담의 사전적 의미는 이렇다.
'말이 통하지 아니하거나 말을 할 수 없을 때에, 글로 써서 서로 묻
고 대답함'

그 사람은 대학생이었고 나는 고등학생이었다. 서로의 라이프타임
도 달랐고 애초에 독서실이었기 때문에 대화를 편하고 쉽게 주고
받을 환경도 아니었다. 우리는 손바닥만 한 종이에 하고 싶은 이야
기를 최대한 절제하며 적었고 서로의 책상에 올려두었다. 작은 종
이 안에 하고 싶은 말을 모조리 적어 넣을 수가 없어서 최대한 내

감정을 담을 수 있는 단어를 선택했다. 내 하루의 수많은 에피소드 중 가장 그 사람의 취향에 맞는 것을 골라서 적었다. 필담의 완성은 여기서 끝나지 않는다. 적을 소재와 단어를 선택했다고 해서 끝난 게 아니다. 내가 그려낼 수 있는 가장 예쁜 글씨체로 그것들을 담아내는 단계가 남아있다. 물론 초등학교 때부터 글씨체가 예쁘다고 들어왔던 터라 자신있었지만, 그 때는 왜 그렇게 내 글씨체가 마음에 안 들었는지 모르겠다. 야자가 끝나면 책상 위에 올려져있을 답장이 기대돼서 편의점에 가는 친구들을 뒤로한 채 독서실로 달려가곤 했다. 답장이 있는 날도, 없는 날도 있었다. 답장이 올 때까지의 그 기다림조차 필담의 묘미였다. 봄이 와서 벚꽃 한 송이와 같이 올려놓은 적도, 모의고사가 있던 날이면 고생했다며 사탕과 과자 몇 개를 나눈 적도 있었다.

우리의 필담은 어느새 짓궂은 내 친구들이 모두 알게 되어버렸다. 남고 옆 독서실이었기 때문에 독서실에 다니는 사람 대부분이 나의 친구들이었다. 호기심 많은 친구들은 그 사람이 있는 방을 더 자주 기웃거리고 우리 둘의 필담을 조금씩 방해했다. 얼마 후 그 사람은 더 이상 독서실에 나오지 않았다. 내 책상에는 더 이상 답장이 올려져있지 않았다. 갑작스러운 끝맺음이었지만 그것마저도 필담의 매력이라고 생각했다. 그저 조금이라도 더 순수한 때에 이런 추억을 간직할 수 있음에 감사했을 뿐.

나는 낭만을 사랑하는 사람이다. 사실 성인이 되고 사회에 발을 내딛을수록 나도 어쩔 수 없이 낭만을 상실해버릴 줄 알았다. 다행히도, 아직까지도 여전히 나는 낭만을 사랑하고 있다. 향수를 유발하는 향기로운 추억들 때문이 아닐까 하고 안심해본다.

언젠가 당신들도 필담을 나누며 짜릿한 낭만을 꼭 한 번 느껴보길!

박상빈

Our Own Summer

지난 주말에는 검정치마 음악 덕분에
이런저런 핑계와 나름 이유 있는 미룸으로
오랫동안 보지 못했던 네 살의 나를 마주했습니다.
엄마, 아빠의 손가락 힘껏 잡고
두 발을 힘차게 디뎌 날아올랐습니다.
희미한 기억 속에 피어있는
푸르스름한, 동시에 오렌지빛이 도는 냄새
나의 모든 어린 시절을 담고 있는 이 냄새는 영원히 잊지 못할 거
예요.
그런데 아주 잠깐만 느끼고 가려 했는데 왜 그토록 가슴을 헤집어
놓나요.
두통이 와서 잠시 덮어두었지만
언제나 다시 이 냄새를 찾아와 서 있네요.
곧 휴일이 가고 낭만을 상실한 내가 표류하는 평일이 와요.
조만간 또 찾아오겠습니다.

요즘은 순수라는 허황된 자신감 뒤로
나태하고 방탕하며, 한심하기까지 한
나의 옛 발자국들이 부끄러워 제자리에 앉아 머뭇거리고 있습니다.
같이 걸어온 모든 발자국들에게 예쁜 모양으로 기억되고 싶지만
그렇지 못하단 걸 알아서 조금 후회도 되네요.
이번 겨울, 눈이 많이 내리던데 못난 내 발자국은 다 지워주세요.
아니면 잠깐 우리만의 여름이 와서 내 부끄러운 발자국들을 녹여
줬으면 좋겠네요.

이름 모를 시

너와 나 걸음걸이가 조금 느려졌을 때
우리와 닮은 나이 든 세간살이를 뒤로하고 아주 먼 이국으로 떠나자.

그곳에서 침묵이 조금 더 많은 대화를 나누고,
따뜻한 술을 마시고
숨이 차 잠시 멈춰 낯선 나라의 풍경을 바라보자.

이따금씩 우리의 손때 묻은 반지를 쓰다듬을 때면
약간의 허탈함이 담긴 추억을 기억해 보자.

어쩌면 앞으로 살아갈 이보다 죽은 이가 더 많은 이 행성에서
우리의 작고도 사소한 생의 마지막을 토닥여주자.

우주 건너편 저 먼 곳의 누군가 유치한 사랑을 비웃을 정도로
그렇게 서로를 마주 보고, 또 바라보자.

너와 나 만나 손을 잡고 걷는 이 사소한 행복이 이내 아쉬운 듯이

말하지 않아도 그 감정을 안다는 듯이.

박상빈

언젠가 받았던 시 한 편
제목 없는 그대로 놔두기로 했습니다.
가끔은 침묵이 더 많은 설명을 해주기도 하는 것처럼.

이름 모를 새.
이름 모를 꽃.
이름 모를 누군가.

어쩌면 내가 사랑했던 것들은 이름 모를 것들이 더 많았는지도 모
르겠습니다.
미결이라는 이름의 사랑. 그 끝을 알 수 없기에 무한한 사랑.

박상빈

낭만을 사랑하는 어느 모험가

'자신을 잃어버리는 순간의 그 어질어질한 느낌을 나는 유독 좋아한다.'

에쿠니 가오리의 책 '울지 않는 아이'에서 가장 좋아하는 문장입니다. 저 문장을 곱씹으며 나 자신을 잃어버리는 순간은 언제였을까생각해 보았습니다. 사랑하는 순간들이었습니다. 사랑이라는 감정에 나를 온전히 맡겼을 때 비로소 마주하게 되는 또 다른 나. 날것의 감정들과 마주하는 낯선 순간의 연속이었습니다. 여리다 못해 바스러질 정도로 선한 감정과 때로는 닿는 모든 것을 태워버릴듯한 감정까지. 모두 사랑이라는 감정 속에 존재했습니다. 살아오면서 경험했던 심오한 이 감정을 책에 담았습니다.
사랑할 줄 안다는 것은 살아있다는 것.
세상이 아무리 힘들고 지친다 해도 사랑하는 것을 멈추지 않았으면 해요. 그 대상이 사람이 아니어도 좋으니. 저는 선선한 바람과새벽, 가을과 겨울을 사랑했고 그것들로부터 사랑을 받았습니다.여름이 지나고 가을 냄새가 가득한 저녁이 오면 항상 설레었고, 첫눈이 내릴 때면 아이처럼 즐거워했습니다.

언젠가 지치고 힘든 날 무작정 바다로 달려갔던 적이 있습니다. 적당히 져가는 노을, 그리고 그 노을이 물들이는 하늘과 바다. 한참바라보다 보니 '오늘 나를 힘들고 지치게 한 것들은 아무것도 아니었구나.'라는 생각이 들었습니다. 사랑하고 바라만 보고 있어도 그것들은 우리에게 다시 살아갈 위안을 줍니다. 사랑은 가끔 상처를남기지만 그 흉터들은 별자리가 되어 우리의 밤을 더 아름답게 밝

혀준다고 생각해요.

험난한 세상. 낭만을 상실해가는 이 아픈 세상에 작은 돛단배 하나 띄워 표류합시다. 그러다 만나는 모든 것을 사랑하고 또 사랑합시다. 분명 우리가 이해하지 못하는 것들도 존재합니다. 그러나 두려워하지 않았으면 해요. 우리는 모험가의 기질을 타고났습니다. 누군가는 새로운 대륙을 발견했고, 또 누군가는 창백한 푸른 점을 떠나 달에 발을 내디뎠습니다. 모든 것이 무너져 존재가 없을 것 같은 폐허를 마주해도 우리는 앞으로 나아갈 용기가 있습니다. 우리가 가진 순수와 용기, 사랑을 담아 또 다른 세상으로 나아가요. 그러다 지칠 때면 언제나 돌아와 쉬어요. 당신의 향수를 달래줄 많은 것들이 기다리고 있기에.

광활한 우주 속 밝게 빛나는 모든 모험가들을 기억하며

박상빈

현 정
· 쌍
점

1
내 나이 23살, 부양해야 할 아이와 마주치다.

대학교를 막 졸업한 전 아르바이트로 생활비를 전전하며 살아가고 있었어요.

그 후 취업에 성공해 직장인으로 살아가던 어느 날, 저에게 아이가 있었다는 사실을 알게 되었어요.

저에겐 청천벽력같은 소리가 아닐 수 없었죠. 그 아이는 엄마의 관심을 많이 받지 못해 자신감이 적고, 자신의 의견을 남들에게 말하지 못해 세심하게 의사를 많이 물어봐 줘야 하는 아이였어요. 상처가 많은 아이죠.

매일매일 전 그 아이에게 '잘 잤니?'라는 말 한마디와 사랑스런 눈빛을 보내요. "오늘 하루도 좋은 일만 있을 거야"."오늘 하루도 고생 많았어."라며 하루의 시작과 마무리를 그 아이와 함께해요. 사실 그 아이는 사랑받고 싶어 하는 욕구를 충족하지 못해 성장하지 못한 저. 중학생의 현정이거든요.

한 날, 저는 중학교 2학년 때부터 다녔던 공부방 선생님을 만나 카페에서 이야기를 나누었어요. 공부방선생님은 나도 몰랐던 내 마음을 물어봐주고, 이해해주며, 내면의 아이가 있다는 걸 깨닫게 해준 저의 롤모델이에요. 그런 선생님이 제게 말씀하셨어요. '지금의 너는 두더지게임의 두더지처럼 상황에 눌려서 네가 어떤 걸 좋아하는 사람인지 모르고 있는 것 같다.'라고 얘기를 해주셨어요. 그 말이 제겐 정신 차리라며 뒤통수를 한 대 빡 치는 느낌이었죠. 전 그냥 물 흐르듯 내 앞에 놓인 상황에 합리화하고, 진정 내가 무엇을 원하는지 모른 채로 기계처럼 살았던 그동안의 기억들이 떠오르며 그때부터 눈물이 멈추지 않더라고요. 누군가 나도 모른 체하고 있었던 내 마음을 읽어줬을 때. 그렇게 슬프다는 걸 처음 알았어요. 내가 너무 안쓰럽고, 챙겨주지 못해 미안하고, 왜 몰라줬을까 후회도 되고 복잡한 심정이었어요. 그 후 한 권의 책을 추천해주시며 너는 내면에 아직 성장하지 못한 아이가 있다는 걸 이해할 수 있을거다. 그리고 그 아이를 돌볼 수 있는 사람은 너 하나뿐이다. 그 아이는 너 없으면 안 된다는 선생님의 말씀이 누구보다 나를 더 생각하고 돌보며 살아가라는 말로 들렸어요.

그런 적 있으세요? 눈물은 나는데 왜 우는지 모를 때.

저는 많았어요. 그럴 때마다 나 도대체 왜 울지? 내 감정을 내가 모르겠다. 생각하며 넘기는 날이 대다수였어요. 그런데 그 눈물은 밖으로 보이는 외면만 성인인 현정이가 흘리는 눈물이 아니라 어렸을 적 상처가 있는 현정이의 상처를 누가 어루만져주거나 건드렸을 때 눈물을 흘리더라구요.

선생님의 말씀을 곱씹으며 집에 돌아와 책을 읽던 중 제 안에 중학생 현정이가 있다는 걸 느꼈고, 가끔 이유 모를 눈물을 흘린 이유에 대해 알게 되었어요.

현정

2
바람 잘 날 없는 집구석

돌이켜보니 중학생 때 부모님의 이혼으로 전 엄마를 따라, 동생은 아빠를 따라 나눠살기 시작한 후 부터였어요. 그러다보니 전 엄마에게 경제적 부담을 덜어주고, 항상 믿음을 주는 지지자같은 아빠의 역할을, 외로움을 많이 타는 아빠에게는 밥은 먹었냐며 끼니를 챙기고 동생의 미래에 대해 함께 고민하는 엄마역할을, 동생에게는 무관심인 부모님을 대신해 평소 힘든 점은 없는지 속마음을 물어봐주고, 아빠에게는 말하지 못하는 취미생활을 존중해주는 부모역할을 그리고 돈 벌기 바쁜 엄마 대신 외할머니께는 병원 보호자로 동반하고, 손톱관리와 염색, 문자확인 등의 외할머니가 부르면 언제든 가는 딸의 역할을 하기 바빴어요. 그렇게 해야 나의 가족들이 행복하게 살 수 있을 것 같았거든요. 하지만 이런 나의 역할들을 알아주는 이는 없었어요. 오히려 당연하다는 듯 요구하고, 정작 제 자신은 챙기지 못한 채 지속되어왔죠.

이에 더하여 엄마, 아빠가 사이가 안좋다는 이유로 친가에 가면 엄마 흉을 보고, 외가에 가면 아빠 흉을 보는 이 상황들을 저는 이해할 수 없었어요. 나는 싫어하지만 너에겐 좋은 사람일 수도 있으니 배려해줄 수 있는거잖아요. 최소한 자녀 앞에서는 욕하면 안되는거잖아요. 나에겐 엄마, 아빠 둘 다 내가 좋아하는 사람들인데 도대체 왜 그러는지.

금전적인 이야기를 꺼낼 때면, 엄마는 아빠한테 얘기하라 하고, 아빠는 엄마한테 얘기하라해요. 중간에서 전 미치고 팔짝 뛸 노릇이죠. 그래서 전 아무도 믿지 않고, 스스로 돈을 많이 벌어야겠다는 강박관념이 생겨나기 시작했어요.

대학교 졸업과 동시에 자취생활을 끝내고 엄마와 다시 같이 살게되면서 알고 싶지 않았던 집 대출상황과 그 대출을 갚기 위해 밤낮없이 일하는 엄마의 삶이 얼마나 힘든지.. 옆에서 다 지켜보는데 심적으로 너무 힘들었어요. 전 아무 도움을 줄 수 없다는 미안함 때문에요.

이런 상황에서 전 제가 좋아하는 일을 찾아 마냥 시간을 허비할 수 없었고, 공무원이 되고자 했던 저에게 부모님은 응원해주시고 기다려주셨지만 도저히 집중이 되지 않았어요. 열심히 해보지도 않고 도망친거 아니냐고 질책해도 할 말이 없어요. 공무원시험 합격하면 다 효도시켜줄게 라고 큰소리를 땅땅 쳤지만 전 진로를 변경하기로 마음을 바꿨어요. 또래보다 취업을 빨리하여 부모님께 손을 벌리지 않아도 된다는, 부모님이 아시면 속상해할 위안을 하며.

3
자유를 찾아 떠나는 솔직한 마음

무슨 바람이 불었는지 갑자기 엄마가 이사를 가고싶다고 하며 집을 알아보기 시작했어요. 앞으로 죽을 때까지 살 집이니 아파트를 매매 해야겠다고 결정했네요. 입주일은 시세보다 저렴하게 매매하는 조건으로 14개월 후에 하기로 했어요. 내년 입주를 앞두고 있는 상황에서, 부동산에 내놓았던 우리집이 예상 외로 빨리 팔리

게 되었어요. 아직 기간이 많이 남아 나중에 팔아도 되지 않을까 이야기도 했지만, 지금 팔지 않으면 안 팔릴 수도 있으니 엄마와 전 매수하기로 결정했고, 저희는 당장 전세집을 알아봐야했어요.

쉽지 않더라고요. 전셋집은 커녕 원룸에서 같이 살지, 투룸을 구해볼지, 외할머니댁에 잠시 들어가서 살지 고민해야했어요. 외할머니댁에 들어가 살기로 이야기가 기울자 전 도저히 외할머니랑 엄마랑 같이 못 살 것 같았어요. 외할머니의 불같은 성격과 잔소리, 알고싶지 않은 집안 상황 그 모든 것들이 저를 짓누를 것만 같아서 도망쳐야 한다는 생각뿐이 안들었어요. 게다가 외할머니와 엄마는 만나기만 하고 싸우고, 전 그 사이에서 이러지도 저러지도 못하는 중간자 역할을 1년동안 계속해야한다고 생각하니 끔찍했어요.

엄마를 그 집에 두고 오는 것이 꼭 전쟁터에서 나만 탈출하는 것 같아 미안했지만 나부터 살고 봐야했어요.

그동안 가족들한테 맞춰주며 살아가는 게 힘들었다는 얘기, 대출을 갚기 위해 엄마가 일하는 모습을 보는게 힘들다는 얘기 등 위의 모든 내용을 포함하여 혼자 살고 싶은 이유들을 꾹꾹 담아 이사 전에 엄마에게 편지를 썼어요. 나의 감정을 말로 전하기엔 눈물이 먼저 날 것 같았거든요. 그리곤 엄마의 대답을 듣기가 너무 무서워 편지를 두고 집에 늦게 들어갔어요. 이런 솔직한 얘기를 허심탄회하게 나눠보지 않았기에 더더욱 대답을 듣기 두려웠어요. 그런데 더 무서운 건 집에 들어가니 엄마가 아무런 말도 하지 않았어요. 다음날도. 저는 더 불안했죠. 왜 아무말도 하지 않는건지. 대답을 해주지 않는건지.

그 다음 날, 퇴근 후 누워있는 나에게 엄마가 시간 있냐며 얘기 좀 하자고 불렀어요. 나는 침을 꿀꺽 삼키며 마음을 단단히 먹었죠. 그런데 웬걸. 엄마의 대답은 저의 예상과 완전히 달랐어요.

엄마는 니가 혼자 산다하면 당연히 허락해줄거라고. 지원도 조금 해주겠다고 하셨어요. 그런데 엄마가 상처받은 말이 있었대요. 그동안 바쁘다고 우릴 방치했으니까 이제 보답하라는 말이 너무 상처가 되었대요. 엄마는 돈을 벌기 위해 우리를 외할머니께 맡겨둬야만 했는데 그런 엄마의 어쩔 수 없는 선택에 저는 왜 그런 선택을 해서 날 돌봐주지 않았냐며, 외할머니가 시키는 일이 너무 스트레스라며 엄마의 마음에 돌을 던졌어요. 너무너무 미안했어요. 많고 많은 단어 중에 왜 그런 모진 말을 선택했는지. 사실 그동안 쌓아왔던 내 상처가 너무 커서 엄마에게 상처가 될 거 아는데도 이기적으로 생각한거 맞아요. 그럼에도 불구하고 안된다는거 이제 알아요.

미안하다고, 사실 상처받을 것 같았다고 울면서 사과했어요. 엄마는 말했어요. "이 세상에 엄마는 무조건적인 니편이라고.","그 누구도 시간이 지나면 남이 될 수 밖에 없다고." 살면서 이 얘기를 23살에 처음 들어봤어요. 그 말을 듣는 순간 아 내가 이런 속마음을 말해도 엄마는 내 편이구나, 날 안좋게 생각하면 어떡하지의 걱정이 날아가면서 안도감이 찾아오고 너무너무 후련했어요.

나보다 남을 더 생각해주는 여러분께

아마 중학생의 현정이로 머물러있었다면, 몸이 5개쯤 되어야 했을 지도 몰라요. 그래서 제가 그 당시의 5명의 현정두더지를 불러와보 았습니다.

1) 엄마두더지: 내가 아빠를 안챙기면 아빠를 챙겨줄 사람은 없어. 엄마가 없어서 외로울거야. 술도 적당히 마시라고 해야지.
2) 아빠두더지: 엄마가 저렇게 몸 건강 생각안하고 일만 하니까 건 강이 안좋은거야. 내가 도와줘야해.
3) 부모두더지: 동생을 생각해주는 사람은 나뿐이 없네. 나라도 안 챙기면 동생을 보살펴줄 사람이 없어. 불쌍해.
4) 외할머니딸 두더지: 엄마가 바쁘니까 나라도 챙겨줘야해. 어렸을 때부터 날 키워주셨으니 당연한 일이야.
5) 일하는 두더지: 얼른 내가 돈을 벌어서 내가 먹고살아야지, 모든 사람이 하고싶은 거 하면서 살지 않아. 넌 이 길로 가는게 맞아.

지금의 현정두더지는 다 한 대씩 때렸습니다.
"누가 누굴 걱정하냐고, 넌 도대체 누구를 위해 사는거냐고."
"너의 주위에서 일어나는 상황들은 그 사람들 몫이고 넌 너답게 살 아가면 돼."
"그리고 누구도 너의 선택에 책임을 져줄 수 없어. 너 자신을 믿어."

4

짝사랑의 비밀

살면서 짝사랑 안 해보신 분 있나요?

지금 생각해보면 없으리라 말할 수 있더라도 유치원, 초등학생 때 서로 좋아한다고 결혼 약속까지 한 분들 있지 않은가요? 물론 저는 결혼 약속까진 아닙니다만.

초등학생 때, 좋아하는 아이가 생겨 밸런타인데이 때 열심히 초콜릿을 만들어 전해주려 했어요. 하지만 도저히 얼굴 보고 전해줄 자신이 없어 사물함에 넣어두고 지켜보기만 했었던 추억이 있는데요. 이름 적는 것도 깜빡해서 그 아이는 누가 준 건지도 모르게 먹었는데 지금 돌이켜보니 참 다행인 것 같아요. 그 아이는 인기가 너무 많은 터라 제 마음이 수많은 초콜릿 중 하나로 가볍게 여겨질 것만 같았던 일을 제가 깜빡한 덕분에 저만 기억하는 소소한 추억이 하나 생긴 셈이니까요.

여러분은 짝사랑이 뭐라고 생각하시나요?

혼자 하는 사랑, 한 사람만 좋아하는 감정을 가진 관계, 일방적인 관계 등등 개인이 가진 여러 의미가 있으시겠죠. 저도 좋아하는 사람이 있었고, 이루어진 적이 한 번도 없지만, 이 주제에 대해 친구와 얘기를 나누었어요. 짝사랑이 좋은 점이 있는가에 대해서.

"상대방의 마음이 나와 같지 않은데 좋을 수 있을까?"라고 질문을 던졌더니 나만 좋아하니까 상대방에 대해 내가 어떻게 생각하든 부담이 없고, 연인이 되면 상대방에 대한 기대가 생기게 되어 그 합의점을 맞춰가야 하는 부분에서 더 자유로울 수 있어 좋다고 말을 받더라고요.

듣고 보니 다 맞는 말인 거에요. 내 마음은 내 것이니까 어떻게 사용하던 누구도 뭐라 할 수 없잖아요.

"그럼 단점은?" 상대방을 좋아하는 내 마음을 몰라주니 서운하다, 상대방과의 관계를 진전시키고 싶은데 만약 상대방이 같은 마음이 아니라면 친구로도 못 지낼 것 같아서 표현하기 힘들다, 상대방의 행동 하나까지 신경이 쓰여 감정 소모가 크다 등등이 있겠네요.

내가 좋아하는 사람vs나를 좋아하는 사람 중 여러분의 선택은?

위의 질문은 아직도 명확히 답을 내릴 수 없는 질문이라 생각하는데요. 저는 무조건 전자입니다. 후자의 경우는 짝사랑 성공확률이 99%에 가깝다고 보아 내가 좋아하는 사람에 초점을 두고 얘기해볼게요.

여러분은 평소 관심을 두고 있지 않은 사람이 저를 좋다고 하면 없던 감정이 생길 수 있나요? 그 마음은 정말 고맙지만 좋아하는 마음과는 별개로 감정이 생기지는 않더라구요.

그렇다고 제가 좋아하는 사람에게 적극 어필하는 강심장도 아니거든요? 표현을 하려하다가도 상대방 앞에 서면 뚝딱이가 돼서는 내 마음을 들킬까봐 툴툴거리고 아무렇지 않게 대하고, 누가 내 마음을 알아챌까 봐, 정말 너 개 좋아하냐고 물어볼까 봐 적당한 선을 지키며 친구로만 지내는 전형적인 소심한 사람이랍니다. (아, 이래서 연애를 못 하는 건가 싶기도 하고요.)

본론으로 들어가서 제가 이 얘기를 왜 하냐면, 저는 요즘 짝사랑에 대한 정의가 바뀌었어요.

네이버에 나오는 사전적 의미의 "한쪽이 보통 자신을 사랑한다는 사실을 상대가 모르거나 거부한 채 혼자만 상대방을 사랑하는 것"이 아닌 그 사람 곁에 내가 아니어도 그(그녀)의 행복을 빌어주는 것. 그것이 짝사랑인 것 같아요.

꼭 나와 잘되어야 하는 게 아닌 온전히 내가 정말로 좋아하는 사람이니까 나와 사랑을 나누는 게 아니어도 상대방이 좋아하는 사람을 만나 행복했으면 하는 마음이요. 아, 이건 찐사랑인가.

짝사랑ing 여러분께

제 말이 머리로는 이해가 가지만 그게 쉽지 않다는 건 알아요. 어쩌면 공감이 안 가실 수 있겠죠.
제가 이런 마음을 먹을 수 있었던 결정적 계기는, 제가 여자친구가 있는 아이를 좋아한 이후부터인데요. 처음엔 축하를 해주었어요. 제 마음을 제가 몰랐을 때 말이죠. 저도 모르게 그 아이 얘기를 하고 있는 나를 발견하고, 자각하고 나니 여자친구 얘기하는 그 아이의 말이 듣기 싫었거든요. 안 궁금한데 궁금하고 그가 얼른 헤어지길 바랐죠.

하지만, 어느 순간 상대방의 불행을 바라고 있는 제가 너무 못난 거예요.
서로 좋아서 사귀는데 내가 무슨 자격으로 이러나, 이러면 안 되겠다. 언젠가 나에게 올 좋은 사람도 심성이 아주 고약한 아이라 판단

하고 안 오겠다 싶어서 저한테도 좋은 사람이 다가올 수 있도록 그의 행복도 빌어주고 더불어 저에게도 좋은 사람이 나타날 거란 믿음을 가졌어요. 만약 나타나지 않더라도 그렇게 생각한 제가 너무 기특해서 아무렴 상관없게 되더라구요.

제 말이 정답은 아니에요. 한 사람을 좋아하는 마음 그 자체로 이쁘고 아름다우니까요. 아마 여러분들의 마음의 크기가 그 사람을 품을 수 있기에 가능한 일이죠.
짝사랑도, 찐사랑도, 어떠한 사랑도 우리가 느낄 수 있는 최고의 감정인 건 분명해요.

5
새벽 2시

하루의 일과를 마치고 집에 돌아오면 잠들기 전까지 시간이 아깝다는 생각, 해보셨나요?

저는 열심히 일하고 집에 와 씻고 나면, 너무너무 피곤해 빨리 자고싶다가도 그 시간만이 유일한 나에게 집중할 수 있는 시간이라 너무 소중해서 일찍 잠들기 아깝더라고요. 그 시간만큼은 누워서 밀린 드라마를 보거나, 야식을 먹으며 ott를 보는 낙으로 하루를 마무리하는 날이 많았어요.

그런데 그 시간을 즐기다 보면 늦게 자게 되고, 늦게 자니 일어나는 시간도 늦어지게 되더라고요. 딱 안 좋은 생활패턴을 가지고 있다고 보기엔 개인마다 다를 수 있지만, 저는 아침에 일어나는 게 너무 힘든 사람이라 차라리 새벽 시간을 활용하고 아침 시간을 잠으로 채우겠다는 생각이었어요. 그런데 이런 날들이 지속되니 한 편만 보고 자려 했던 드라마의 뒷 내용이 너무 궁금해져 아침 6시까지 다 보고 비몽사몽 출근하는 나날들을 보내니 피곤이 쌓이고 일에 지장이 생기는 날이 빈번해졌어요.

이대로는 안 된다. 이대로는 못 살겠다.
내 인생에 변화가 필요하다고 절실히 느낀 시간. 새벽 2시였어요.

새벽에는 늦게 자도 다음 날 일찍 일어날 수 있을 것만 같은 자신감을 주죠. 어디에서 나오는 자신감인지 현실은 매일 늦게 일어나며 후회하는 일상이에요. 문득 블로그를 구경하다 고유글쓰기 "미뤄왔던 씀" 프로젝트를 발견했어요. 읽어보니 작가가 아닌 평범한 사람들이 모여 글을 쓰고, 책을 출판한다네요? 마침 잘 됐다. 이거 완전 새롭잖아? 그 시각 아는 동생과 통화를 하던 중이어서 바로 이야기를 했어요.

"나 방금 이거 발견했는데 한 번 해볼까? 근데 나 글쓰기 진짜 못하는데. 괜찮을까?"
"그런데 아직 기간도 많이 남아서 미래의 내가 어떻게든 하지 않을까?" 했더니 아는 동생이 "그래 한 번 해봐."
그게 저의 첫 시작이자 도전이었어요.
결국, 전 새벽 2시 30분. 그 야심한 시각에 신청서를 작성하고, 결제했죠. 다음 날에 일어났는데도 실감이 안 나서 나중에 어떻게든 하겠지 생각하고 잊고 살았어요.

현정

대망의 날이 다가왔어요. 두둥.

대표님이 연락이 오시고, 단체 카톡이 생기고, 첫 줌 미팅이 잡혔어요. 그때부터 실감이 나기 시작하고 와 어떡하지가 된 거예요. 저 스스로에 관한 이야기를 쓰는 것이 주제였는데 전 지극히 평범한 인생을 살았거든요.

초중고대학교 졸업. 친구가 같이하자고 하여 취미생활로 시작한 태권도가 직업이 되어 돈을 벌고 있는 어쩌면 흘러가는 대로 살아간 인생인데 도대체 무슨 말을 써야 하지? 너무 심란하고 걱정이 되어 괜히 신청했나 후회도 했어요. 하지만 시간은 기다려주지 않죠.

2주 차 줌 미팅을 무사히 끝낸 저는 앞서 했던 걱정과 후회가 언제 있었냐는 듯 긴장이 사라지고 저의 개인적인 생각들을 말할 때마다 공감해주시고, 나와는 다른 사람들의 얘기를 들으니 너무 재밌는 거예요. 아 역시 신청하길 잘했다. 하며 이 프로젝트를 참여하고 있어요.

4주 차 즈음, 나의 과거를 되돌아보게 되고 평범하게 살았다고 생각했던 내 인생에도 좋은 일만 있었던 건 아니었구나 느꼈어요. 또, 마음 한구석에 묻어두고 외면했던 일들을 적어 내려가다 보니 내가 몰랐던 나의 감정을 알게 되고, 책을 읽는 것만으로는 알지 못했던 치유한다는 느낌을 받을 수 있었어요. 나의 글이 누군가에게 도움이 되었으면 좋겠는 마음과 이와는 상관없이 온전히 나를 위해서 글을 쓰고 있는 나. 이러한 양면성을 띄는 저의 모습을 어디가서 알 수 있겠냐구요.

　　나를 아는 사람에게는 쉽게 말하지 못하는 이야기들이 글을 쓰기 시작하니 술술 나오더라고요. 나와 전혀 상관없는 택시기사님께 나의 속마음을 다 털어놓는 것처럼요. 나에 대해 어떠한 정보를 가지고 있지 않은 사람들이니 내가 어떤 과거를 고백하더라도 편견 없이 그냥 저 사람은 저런 과거가 있었구나 하고, 있는 그대로의 나로 봐줄 것 같았어요. 그러다보니 솔직하고 진솔하게 상처받았던 과거를 인정하고 털어내며 더 성장할 제 미래가 기대가 되네요.

　　새벽감성으로 전애인한테 연락만 하지 않는다면 인간관계, 사회생활로 현재를 살아가기 바쁜 우리 현대인들에게 잠시 그 연결을 끊어주는 새벽시간. 어쩌면 또 다른 기회일지도.

새벽에 잠 못 이루는 사람들에게

　혹시 저와 같이 새벽시간에 정신이 말똥말똥 해지는 분들이 계시겠죠? 아니면 불면증이라 자고싶어도 못 자는 괴로운 사람들도요. 이 시간들을 우리가 이용해보면 어떨까요?
　내가 정말 시키지 않아도 하는 일이 무엇인지 적어보면 그 일을 정말 좋아하는 거라고 누군가 말한 영상을 본 적이 있어요. 그렇게 하나, 둘 나에 대해 알아가는 시간으로 만들면 우리의 삶이 더 즐거워지지 않을까요? 전 그럴거라 믿고 있거든요 :)
　예를 들어, 저는 누가 시키지 않아도 하는 일이 무엇이냐 물어보면 카페가기 라고 대답할게요. 프렌차이즈카페든 개인카페든 각 카페마다 주는 공간의 힘이, 분위기가 너무 좋아서 쉬는 날이면 무조건 카페를 찾아 맛있는 디저트와 커피를 마시며 휴식을 취하거든요.

그러다보니 아침에 일어나는 게 정말 힘든 사람인 제가 다음 날 카
페에 가기 위해 일찍 일어나는게 되더라고요. 정말 신기했어요. 새
벽에 잠이 오지 않는다면 나를 더 알아가는 시간으로 이용하여 생활
습관도 변화시킬 수 있는 기회를 만들어봐요.

또, 평소에 고민만 하던 일들을 생각하다보면 답이 나올 수도 있고
요!

여러분들이 저와 같은 생활패턴을 가지고 계신 것이 아니기에 여건
상 힘드실 수 있지만 이러한 동기부여를 통해 천천히 우리 삶에 좋
아하는 일들을 끼워넣어 하루하루를 보냈으면 좋겠어요. 꼭.

6

안녕, 태권도

"태권도" 하면 뭐가 제일 떠오르나요?

저는 초등학교 방과후 시간에 도복 입고 태권도를 다니는 아이
들을 보고 와, 멋있다 라고 생각했던 기억이 떠오르는데요. 평소
운동을 좋아했던 터라 엄청 해보고 싶었지만 용기가 없어 마음속
으로만 간직하고 있었거든요.

첫 시작은 고등학교 1학년 2학기였어요. 당시 진로희망이 경
찰이었기에 태권도 공인 2단을 취득하면 가산점이 부여되어 태권
도를 다녀야 할 이유가 생긴 셈이에요. 마침 친구도 저에게 같이

다니자는 제안을 하며 고등학교 3학년에 공인 2단을 취득할 수 있었어요.

수능공부를 한다는 명목으로 태권도장을 가지 않았어요.

당시 전 교과성적으로 대학을 수시로 지원했기에 수능공부를 하지 않아도 되었지만, 남들 다 해보는 수능이라 제 실력이 어느정도인지 알아보고 싶더라구요. 수능을 친 이후 친구들과 아르바이트를 하기 위해 이리저리 찾아보며 면접도 봤는데 단기간으로 채용해주는 가게가 흔치않아 매번 일하러 오라는 연락을 받지 못했어요.

그러던 어느 날, 태권도 관장님께 인사를 드리러 가서 뜻밖의 제안을 받게 되었어요. 앞으로의 계획에 대해 얘기하던 중 아르바이트를 구하고 있다고 말씀드리니 관장님께서 "그럼 너 여기서 교범 해볼래?"라고 말씀하셨다. 그 당시 전 공인2단 자격증만 있는 햇병아리였는데 무슨 자신감에서인지 네, 해볼게요! 라고 대답했고, 이 직업은 사명감이 있어야 할 수 있는 직업이라며 돈은 많이 못 준다고 말씀하셨다. 일을 할 수 있다는 것 자체만으로도 좋은데 그게 무슨 대수겠어요.

몰랐다. 이 선택으로 인해 지금의 내가 있을거라고는.

남들 앞에서 발표하는 것조차 어려워하던 소심한 아이였는데 얼굴도 처음 보는 아이들 앞에서 얘기하고, 수업을 하다니. 상상도 못 할 일이다. 당시 전 아이들 이름도 몰랐기에 제일 많이 한 말이 "미안한데…. 넌 이름이 뭐야?,"였어요. 아이들이랑 친해지고 싶은데 이름을 부를 수 없으니 말을 못 걸겠더라고요.

인간은 적응의 동물이라 했던가요. 점차 익숙해지니 사범님

대신 몸풀기 스트레칭을 주도적으로 하고, 흰 띠 노란띠 등의 유급자 아이들을 분리하여 가르치는 것을 자연스럽게 하고 있는 나를 발견했어요.

대학 입학 후에도 누가보면 도장에 꿀 발라놓았냐 할 정도로 매주 금요일마다 아이들을 보러 도장에 갔어요.

6-1
헤어짐

그렇게 함께한 시간이 3년, 진정 이제는 제 진로를 위해 노력할 때임을 깨달았어요. 태권도는 경찰시험 가산점 취득을 위해 해왔던 운동에 지나지 않았음에 마음을 굳게 먹고 이제 공무원준비를 위해 못 올 것 같다고 관장님께 말씀드렸어요.

관장님께서는 나의 미래를 응원해주셨고, 언제든 돌아오라고 해주셨어요. 그 말이 빈말일지라도 너무 감사하더라고요.

경찰이 되지 않으면 다시 오지 않을 생각이었기에 애들 한 명, 한 명 편지를 써 내려갔고, 10장이 넘어가니 그동안 같이 얘기하고 땀 흘리며 노력했던 과정들이 생생하게 생각이 나서 한 편으로 대견하기도, 고맙기도 했지만 앞으로의 모습을 함께하지 못한다는 슬픔이 커 혼자 많이 울었어요. 나도 모르게 정이 많이 들었나봐요.

6-2
깨달음

　대학교 3학년, 학교를 다니며 경찰 공부에 몰입하기 시작했어요. 정해진 시간에 일어나 공부하고, 학교 가고, 운동하는 일상을 반복했어요. 매일은 아니었지만 규칙적인 생활을 하던 중, 관장님께서 공부 잘하고 있냐며 전화로 안부를 물어왔어요. 그리곤 조심스레 말씀하셨죠. "관장님이 이 날 수술날짜가 잡혀 그러는데 혹시 그 전에 시간이 되면 도장에 와서 도와줄 수 있니?" 고민했다. 원체 거절을 잘하지 못하는 성격이라 저는 알겠다고 대답했고, 또다시 도장에 발을 디디게 되었어요. 경찰이 되기 전에 안 온다고 다짐했건만 그 당시 누군가 날 필요로 해준다는 사실이 좋았던 것 같아요.

　이제 와서 돌이켜보면 그럴 의도는 없었겠지만, 관장님께서는 내가 어떤 말에 약한 사람인지 알고 있었지 않을까 추측해보곤 해요. 사람의 심리를 잘 알아서 책임감이 강한 저에게 "네가 와서 애들이 얼마나 좋아하는지 모른다", "도장에서 너는 엄마 같은 사람이다", "너라면 믿고 맡길 수 있다" 등 진심으로 전해진 이 말들이 실은 나를 더 얽매이게 하고, 이에 보답하고자 하는 마음으로 더 열심히 하고 잘하려고 한 게 아닐까 하고.
　이러한 칭찬들을 온전히 받아들이지 않고, 제가 새롭게 도전해보고자 하는 일을 추구하는 데에 흔들리지 않게 된 건 지금 이 글을 쓰고 있는 24살이 되어서야, 나 자신을 좀 더 알게 돼서야 보이는 것들이었다.

현정

6-3
재회

　다시 못 볼 사람처럼 작별인사까지 다 했는데 다시 돌아가다니 아이들이 어떤 반응일지 궁금했어요. 그런데 아이들은 아무렇지 않게 경찰이 되었냐는 순수질문부터 왜 돌아왔냐고 농담을 던지는 아이, 교범님이 돌아와서 너무 좋다고 솔직하게 말해주는 아이까지 표현방식은 다 달랐지만 나를 좋아해주는 건 분명해 보였어요.

　또, 이 조그만 아이들이 나의 키가 몇인지, 몸무게가 몇키로인지, 어디 사는지, 학교가 어딘지 등의 시시콜콜한 이야기들을 궁금해하고 물어보고 관심을 주는 게 좋아요. 이러니 제가 이 공간을 안 좋아할 수가 없잖아요.

　"넌 무엇보다 애들을 좋아하는 게 제일 큰 장점이다, 태권도 가르치는 것에 소질이 있네, 잘한다." 칭찬해주시는 관장님의 말에 자연스레 그런 사람이 되고자 하였고, 또래보다 취업을 빨리하여 부모님께 손을 벌리지 않아도 된다는 자부심을 느꼈어요. 부모님이 아시면 속상해할 위안임을 아는데도.

6-4

고찰

제 직업은 분명 가치 있고 사명감 있고, 즐거운 일이에요. 하지만 교범에서 정식 사범으로 진급한 지 3개월 되던 해, 새롭게 도전하는 프로젝트에 3개월간 노력을 들였음에도 성과가 보이지 않아 심적으로 배터리가 차츰 닳는 느낌이었어요. 내가 이렇게 열심히 하는데 왜… 몰라주지…. 하는 마음에서요. 사람은 누구나 인정 욕구가 있는데 전 그 욕구를 직업에서 찾으려 했고, 가족에게서 찾으려 했어요. 하지만 어디에서도 충족이 되지 않으니 난 왜 이렇게 사는지, 뭘 위해 사는지 공허함이 다가왔어요.

공허함을 채우고자 먹고 또 먹었어요. 배고파서 먹는게 아니라는 걸 머리로는 알지만 통제가 되지 않았어요. 이런 저를 도와준 사람은 공부방 선생님이었어요. 정말 좋아하고 존경하는 사람이라 선뜻 연락하기에 더 조심스러웠지만 선생님과 일정을 맞춰 보기로 약속을 잡았어요.

부유하지 않은 환경에서 엄마, 아빠, 외할머니, 동생에게 도움이 되어야 한다는 책임감과 늘 나를 믿고 응원해주시는 관장님께 죄송한 마음에 놓지 못한 그 끈을 이제는 놓아도 된다고, 네가 진짜 원하는 일을 찾아 다른 길로 가도 된다고 말씀해주셨어요. 어쩌면 누가 그 말을 해주길 기다렸는지도 모르겠어요. 내 마음에 확신을 얻고 싶어서, 내 선택이 잘못되지 않았다는 걸 확인받고 싶어서. 선생님의 말을 들으니 용기가 나더라고요.

현정

정식으로 일한 지 3개월뿐이 되지 않았는데 관장님께서 뭐라 하시진 않을까? 엄마에게도 도움을 청했어요. 엄마는 너무나 당연하다는 듯이 "그건 상관없다고. 진정 너를 생각해주는 사람이면 네가 뭘 하던 응원해줄 거고, 그 도장엔 네가 없어도 된다고. 네가 없으면 안 된다는 건 착각이라고."말했어요. 너무 시원했어요. 아, 이래서 가족이랑 대화하고 가족뿐이 없다고 하는구나. 를 느꼈죠.

6-5

나는 어떤 사람인가?

일하면서 정말 많이 배우고 느꼈다. 아이들의 순수함에서 같이 젊어지기도 하고, 유행을 공유하며 같이 춤도 추고, 애들이 못하는 걸 볼 때면 즐거웠다. 내가 가르쳐줄 수 있는 게 많으니까.

하지만, 즐거운 만큼 스트레스도 있었다. 아이들은 아무 잘못이 없다는 얘기가 있지 않은가. 나 역시 마찬가지로 아이들은 잘 모를 수 있음을 전제로 두고 이해하려 하고, 이성적으로 대처하려 하지만 아이들이 말을 듣지 않고, 내 말을 끊을 때면 당연히 화가 난다. 그런데 이 화가 나는 상황이 당연한 일임에도 처음에 난 인정하지 못했고, 이 일을 내가 계속해도 될까 싶을 정도로 고민에 빠졌다. 화를 잘 내지도 않고, 감정조절도 잘하던 나였는데 점점 사람이 이상해지는 것 같았다. 그 이유를 친구를 통해 알게 되었다.

집중하지 못하거나, 자꾸 내 말을 끊으면 내 수업이 방해받고, 무시당하였다고 느껴져서 나도 모르게 화가 났던 거였다. 나는 이 자연스러운 화가 나는 반응을 받아들이지 못해 혼자 고민에 빠져 내가 이상해진 걸까, 왜 이럴까 우울하기까지 했던 것이다.

정해진 수업시간 안에 끝내야 하는데 애들이 계속 자기 할 말만 하니 조급해질 수 밖에 없고 그걸 끊어내지 못한 거였다. 이유를 찾은 지금의 난 화가 나는 감정은 당연한 일이고, 너희가 하는 얘기가 지금 태권도수업과 관련이 있는 건지 물어본 후 쉬는 시간에 얘기하라라는 현명하게 대처하는 방법을 깨우쳤다.

위와 같은 일로 인해 내가 이 직업에 애정이 떨어진 건 아닌지, 열정이 식은 건 아닌지 생각해보게 되었다. 결론적으로 난 이와 별개로 사회에 나가 더 많은 경험을 쌓고, 진정으로 내가 하고 싶은 일을 찾아 나답게 살아보고자 한다. 아직은 부족한 게 너무 많고 도전해보고 싶은 일도 많은 사람이라 나중에 이 일을 하지 않더라도 나의 인생에 있어 이 일은 잊지 못할. 아무나 할 수 없는· 나를 한 단계 더 성장시켜준 값진 시간임은 분명하다.

태권도 수련생에서 사범까지
내 인생이 전과 후로 나뉜다면 그 기준에 태권도가 있다고 해도 과언이 아니다.
자신감이 적어 남들 앞에서 발표하는 걸 꺼리고 선생님이 발표자로 나를 지목할 것 같으면 심장이 두근거리고, 손에 땀부터 나는 학생이었다. 친구들이 안 좋게 보면 어떡하지, 나를 바라보는 시선이 무서워 눈물부터 나는 나를 대학교 입학 후 처음 보는 사람들 앞에서 나의 의견을 얘기할 수 있는 사람으로 변화시켜주었다.
내가 가르침에 재미를 느끼는 사람이었고 아이들을 좋아하는 사람

현정

이었고, 나 스스로가 많은 걸 할 수 있다는 사람인 걸 느끼게 해주었다. 이 아이는 어떤 마음으로 이 얘기를 하는지, 어떤 말이 듣고 싶은지 고민하면서 아이들의 마음이 보이기 시작했고 동시에 나의 마음도 돌아볼 수 있었다. 이 글을 읽는 여러분들도 꼭 태권도가 아니더라도 어떠한 일이든 어떠한 선택을 하든 그 속에서 배울 점이 1가

지라도 있을 테니 뭐든 도전해보셨으면 좋겠어요. 파이팅.

여이진

·
다시 좋아해보기 ·· R.B

프롤로그

1년이란 시간은 금방 지나갔고, 어느새 4학년이 시작되었다. 앞으로 무엇을 할 건지 고민해 보기로 약속한 1년의 휴학 기간이 정말 끝난 것이다. 졸업, 그리고 그와 이어지는 취업이라는 산이 기다리고 있었다. 이제 더는 미룰 수 없다. 앞으로 무얼 하며 먹고 살아갈지 남은 내 인생에 대한 준비를 시작해야만 했다.

중학생 때부터 약 10년을 문화예술만 바라보고 살았다. 다른 쪽으로는 관심이 가지 않았다. 고3이라는 바쁜 수험생활 속에서도 갈 수 있는 전시는 다 갔다. 그저 재밌었다. 공부하다가 전시 보러 가면 숨통이 트였다. 고등학생 생활기록부에도 온통 문화예술로 가득 차 있다. 직업란도 큐레이터, 봉사활동도 도슨트 자원봉사, 교내 프로젝트도 우리나라 오방색. 대학생 때도 별다른 변화는 없었다. 수험생활이 끝나니 전시를 볼 수 있는 물리적인 시간이 매우 많이 늘었다는 정도랄까. 전시에 갈 때마다 가져온 전시 팸플릿을 모아둔 클리어 파일이 어느새 10권이 넘었다. 영화나 연극 관람 등 다른 문화예술 활동도 실컷 했다. 딱히 미래를 생각한 것은 아니었고 철저히 재미만 따져서 말이다.

하지만 언제까지고 재미만 볼 수는 없었다. 큐레이터를 하려면 대학원 진학이 필수였지만, 전공을 정하는 것도, 정한 전공과 관련된 연구계획서를 쓰는 것도 너무나 버거웠다. 변변한 자격증이나 기술조차 없이 활동만 미친 듯이 한 나에게는 결국 문화예술 관련 공공기관만이 답으로 좁혀졌다. 그나마 '재미'를 추구했던 활동들이 문화예술 공공기관 주관인 곳이 많았고, 그래서 면접에서도 할 이야기가 있었다. 게다가 왜인지는 모르겠지만 공공기관에서 보는 필기시험인 NCS쯤이야 금방 해낼 수 있을 것 같은 자신감에 취해있었다.

운이 좋게도 공공기관에 취업했다. 그렇게 꽤 괜찮고 좋아하는 일을 찾았다고 생각했던 나는 지금 그다지 행복하지 않다.

어쩌다 이렇게 되었을까?

1
큐레이터를 꿈꾸던 열다섯

어릴 적의 나는 부모님에 의해 박물관과 미술관에 끌려다녔다. 그쪽에 흥미는 전혀 없었고 몸을 배배 꼬며 집에 가자고 혹은 맛있는 거 먹자고 조르곤 했다. 그러던 어느 날도 어김없이 엄마 손에 이끌려 미술관에 가 전시해설도 듣게 되었다. 서울시립미술관에서 진행하던 <이미지의 수사학 展>이라는 전시가 진행 중이었다. 어쩐지 그날따라 더더욱 심심했고, 너무 심심했던 나는 전시해설에 귀 기울이기 시작했다.

그런데 웬걸. 어렵게 느껴졌던 그 전시해설에 집중하니 정말 재밌었다. 황주리 작가님 <식물학> - 고흐의 해바라기와 비슷한 느낌을 주지만, 꽃이나 줄기 하나하나에 우리의 일상을 담은 작품. 김준 작가님 <Ballantine digital print> - 'Ballantine'이라는 글자만 유달리 눈에 띄었지만, 명품 도자기로 인체를 표현하는 작가의 작품. 도슨트님이 웃겨서 재밌는 게 아니라 이처럼 해설 자체가 흥미로웠다. 설명을 들으니 작품이 첫인상과는 전혀 다르게 보였다.

이를 시작으로 나는 갈 수 있는 모든 전시를 찾아갔다. 전시를 보면 볼수록 시야가 넓어지고, 작가와 작품을 통해 알게 모르게 세상을 바라보는 관점도 달라졌다. 점점 늘어가는 전시 팸플릿만큼 내 지식도 점점 쌓여갔다.

언젠가부터 '미술관에서 일하는 사람은 어떤 사람들일까?'라는 궁금증이 생겼다. 그런 나에게 엄마는 '큐레이터'라는 직업을 알려주셨다. 지금은 드라마에도 나오는 익숙한 직업이 되었지만, 그때만 해도 큐레이터가 되고 싶다고 하면 "그게 뭐야?"라고 물어오는 사람이 더 많았다. 나로 인해 담임선생님들께서도 관련 학과와 학교를 공부하실 정도였다. 전시를 기획하는 멋진 직업이라는 점도, 남들이 잘 모르는 특별해 보이는 직업이라는 점도 모두 마음에 들었다. 그렇게 '큐레이터'는 열다섯의 어린 나에게 설렘과 희망이 가득한 꿈이 되었다.

수시로 미술관과 박물관 홈페이지를 드나들며 다양한 활동에 참여하면서 꿈을 키워갔다. 허준박물관에서 3년간 아이들 대상으로 전시해설 자원봉사를 하며 함께 허준에 관한 공부를 했고, 국립현대미술관 <청소년 비평 워크숍>에서 양혜규 작가님의 '비非 - 접힐 수 없는 것들' 작품을 보고 쓴 비평문이 우수작으로 선정되었다. 이대로라면 큐레이터가 되기에는 아주 탄탄대로라고 생각했다.

하지만 인생이란 역시 순탄하지만은 않다. 어느새 고3이 된 나는 대학교 입시를 준비해야 했고, 학벌과 학력이 중요한 큐레이터라는 직업으로 심적인 부담이 가중되었다. 결국, 미끄러져 버린 수능 덕분에 미술관 큐레이터를 꿈꾸던 나는 미술사학을 공부하지 못하게 되었다. 세상이 무너지는 줄 알았다. 열아홉의 나에게는 수능 점수, 그 숫자 몇 개가 인생의 전부였기 때문이다. 꿈을 좇아온 5년이란 시간이 모두 사라진 것만 같았다. 앞으로 4년 동안 다른 공부를 해야 하는 현실이 가혹하게 느껴졌다. 이때부터 나의 진로 고민은 마음속 깊은 곳 돌덩이가 되었다.

2
공부가 제일 재밌었어요

한 대학교의 문화재 관련 학과에 입학했다. 미술관만 가고 박물관에는 눈길도 안 주던 나에게 보존과학, 고고학, 한국/동양미술사학이란 학문은 매우 생소했다. 용어도 낯설고 어려운데 한자로 가득한 PPT 화면을 본 순간 나는 얼었다. 점차 보존처리 실습 수업이 많아지고 학기마다 답사를 다니며 여러 유적지를 방문하다 보니 문화재가 점점 재밌게 느껴졌지만, 내 평생 직업으로 삼기에 망설여지는 부분이 있었다. 얕고 넓게 다양한 것에 관심이 많은 나에게 한 분야를 정하고 그 분야로 거의 평생을 먹고 살아야 한다는 점이 힘들게 다가왔다. 그리고 관련 전공자가 많지 않기에 한 다리만 건너도 모두를 아는 좁은 사회에서 일해야 했다. 아직 어린 나에게는 이 두 이유가 내 발목을 잡는 기분이었다.

여이진

학과 생활 외에 조금씩 다른 활동에 눈을 돌리게 되면서 축제, 공연장, 미술관, 박물관, 온라인까지 다양한 현장을 경험했다. 이 모든 활동을 정말 '재밌어서' 참여했다. 온종일 참여하고 뛰어다니면서 지원하는 활동이었기에 몸은 힘들었지만, 현장의 생동감을 온몸으로 느낄 수 있음에 행복했다. 내가 흘린 땀만큼 사람들의 웃음으로 보답받는 기분이었다. 결국, 많은 방황과 고민 끝에 좀 더 폭넓은 문화예술을 경험할 수 있는 문화콘텐츠학과 수업과 다양한 예능 교양 수업을 듣기 시작했다.

어쩌다 시작한 문화콘텐츠 공부였는데, 나와 매우 잘 맞았다. 전시, 축제, 공연 등 다양한 문화예술 행사 이론부터 기획 수업까지. 밤을 새우며 과제를 하고, 함께 팀 과제를 하는 팀원들과 싸우면서도 하나의 콘텐츠가 만들어지는 과정을 진심으로 즐겼다. 다양한 방식으로 내 생각을 표현할 수 있음에 흥미를 느꼈고, 기획한 콘텐츠가 실현되는 걸 보니 마음이 벅찼다. 평범했던 학점도 자연스레 올랐고, 기획부터 실행까지 해야 하는 졸업과제에서 내가 속한 팀이 과 1등을 차지했다. 그뿐만 아니라, 교양이나 타과 수업을 통해 미술사, 영화, 해외 문화 등을 공부하면서 전공 수업에서 부족했던 부분을 채워 넣기도 했다. 학교 다니면서 배우는 게 너무도 즐거웠기 때문에 코로나19로 인해 비대면 수업이 확정되었을 때 아쉬울 정도였다.

어느덧 막 학년이 되자, 애써 외면했던 진로 고민이 다시 시작되었다. 선뜻 하나를 선택하기가 정말 어려웠다. 단연 문화콘텐츠가 더 재밌었지만, 그렇다고 문화재를 포기하기에는 내 생각보다 더 문화재 공부에 애정이 있었다. 둘 다 포기할 수 없었던 내가 내린 결론은, 두 학문을 아우르는 직업을 찾는 것이었다. 그러다 눈에 띈 문화예술 공공기관. 안정적이면서도 재단 성격이나 지역의 문화자원 소지 여부에 따라 문화재를 콘텐츠화하는 곳이 꽤 있음을 알게 되었다. '아, 이거다.'라는 생각이 자연스레 들었다. 이제부터 취업 준비를 시작하기로 마음먹었다.

3
다소 치열했던 시간

어느 봄날, 내가 가고 싶은 기관 중 한 곳에서 상품 판매 직무 채용 공고가 올라왔다. 아직 졸업예정자 신분도 되지 않던 나에게는 아르바이트처럼 하면서 동시에 경력도 쌓기 좋은 직무였다. 처음 써보는 회사 자기소개서는 당연히 막막했다. 나와 비슷한 목표를 가진 사람이 주변에 단 한 명도 없었기에 도움을 구할 사람도 없었다. 내가 왜 그곳에서 일하고 싶고, 어떤 업무를 하고 싶으며, 무슨 역량을 가졌는지를 그저 솔직하게 썼다. 그리고 놀랍게도 면접 기회를 얻었다. 결론적으로는 예비 3번을 받았다. 첫 도전치고 나쁘지 않은 성적이었지만, 오기가 생겼다. 그해 안에 꼭 취업하고 싶어졌다. 그렇게 10개월 동안 34곳에 지원하고 몇 군데에서 면접을 봤다.

마지막 학기가 끝나기 한 달 전이었던 11월 초, 취업에 성공했다. 그해에 계약이 종료되는 한 달 반짜리 계약직이었다. 합격자 공고에 올라온 내 이름을 보니, 그동안의 수고를 인정받은 기분이었다. 급하게 건강검진을 받고 교수님들께 양해를 구하며 드디어 입사했다. 매일 야근해야 하는 바쁜 부서라 물리적인 시간이 절대적으로 부족했다. 하지만 나는 그 와중에도 학업과 취업 준비를 이어가야 했다. 거의 마무리 단계였던 팀별 과제에 교수님들은 될 수 있으면 참여하라 하셨고, 짧은 기간의 계약이었기에 다음 일자리도 찾아야 했다. 밤 10시에 퇴근하고 집에 와서 새벽까지, 혹은 밤새우며 과제와 자기소개서를 쓰고 다시 아침 7시 30분에 집을 나서는 생활을 했다. 조금만 무리해도 바로 탈이 나는 몸뚱이가 신기하게도 아프지 않았다. 그럭저럭 그 시간을 버텼다.

한 달 반의 시간은 빠르게 흘러갔고, 새해를 맞이했다. 감사하게도 같은 기관에 다시 채용되었다. 짧은 시간이었지만 나의 열정을 좋게 봐주셨던 것 같다. 그런 마음으로 이전 해보다 더 열심히 일했다. 하지만 취업 준비도 놓칠 수 없었다. '안정'이 나에게 중요한 직업 가치관 중 하나인데, 아직 충족되지 못했다. 게다가 내가 몸담고 있던 부서는 원하던 직무가 아니었다. 조금이라도 빨리 이직하기 위해 눈치를 보며 지원서를 넣고 연차 쓰며 면접도 봤다. 한창 상하반기 채용이 진행되는 취업 시즌에는 주말도 반납했다. 주말마다 있는 시험에, 심할 때는 지역을 넘나들고 끼니도 굶어가며 하루에 두 군데를 갔다. 그렇게 1년 5개월간 일하면서 지원한 곳은 정확히 81곳이었다. 수도 없이 우수수 떨어졌다. 몸과 마음이 점점 지쳐가면서 결과에 기대가 되지도 않았다. 하지만 수많은 과정에서 긍정적인 결과가 나타나기 시작했다. 서류 합격조차 어려웠는데, 어느새 필기시험 합격을 넘어 최종 면접까지 갔다.

여느 때처럼 열심히 일하고 있던 어느 날, 점심시간 직후였다. 최종합격자 발표 결과를 확인하라는 문자가 울렸다. 조용히 화장실에 가서 아이디와 비밀번호를 입력하고 조회 버튼을 눌렀다. '축하합니다. 공개채용에 최종합격하셨습니다.' 와- 와- 내가 최종합격이라니. 바들바들 떨리는 손을 부여잡고 몇 번이고 홈페이지에 다시 로그인하며 결과를 확인했다. 혹시 잘못 본 게 아닐까, 발표 오류가 났을 수도 있지 않을까 싶어서 말이다. 정말 진짜임을 인지하게 되자, 눈에 눈물이 가득 고이기 시작했다. 고개를 위로 들어 흐르려는 눈물을 애써 참아냈다.

취업 준비를 하면서 수많은 유튜브 영상을 보았다. 나처럼 공공기관을 준비하는 분들의 취업 준비 브이로그를 주로 봤는데, 나는 취업 준비 축에도 못 꼈다. 그분들은 정말 공부만 하셨다. 내가 누리던 일상생활도 없었다. 심지어 나처럼 회사에 다녀도 퇴근 후 하루에 5시간씩 공부하는 사람도 있었다. 1시간 겨우 공부하고는 지치는 나 자신이 싫었다. 스스로를 미워하다가 그런 내가 더 미워져 괜히 바쁜 회사와 많은 업무량을 탓해보기도 했다. 그래도 결국 원하는 결과를 얻어낸 내가 기특했다. 나도 한다고 마음먹으면 해낸다는 자신감을 얻었다.

4
그러나 현실은,

고3 수험생활보다 더 치열하게 살았던 취업 준비 기간이었다. 그렇게 열심히 해서 원하는 결과를 얻어냈다. '재밌어서' 참여했던 축제, 공연장, 미술관, 박물관, 온라인 등 다양한 현장들을 '일로' 만나기 시작했다. 나는 정말 행사형 인간이다. '종이 인형'이라는 별명으로 불릴 정도로 흐느적거리고 체력도 약하면서 행사 때는 열심히 뛰어다닌다. 몸은 정말 힘들다. 온몸이 아파서 오히려 잠을 자기 어려운 날도 있었다. 그래도 단 한 명의 웃음, 고마움만 전해진다면 그 행사는 내게 성공적이었다. 열심히 준비한 대가로 더할 나위 없이 충분하다고 생각했다. 그러나 막상 부딪혀 본 현실은 전혀 달랐다. 물론 일이 항상 좋을 수는 없겠지만, 일하는 기간이 길어질수록 이 분야를 벗어나고 싶다는 생각은 더 커져만 갔다. 무슨 일들이 있었냐면…

1.

공공기관에서는 한 명이 가진 업무량이 꽤 많다. 나도 최고로 바빴을 때는 크게 네 가지 '직무'를 수행했고, 그 직무 안에서도 여러 사업과 업무가 세세하게 있었다. 심지어 첫 입사였던 한 달 반짜리 계약직 시절에도 생신입인 내게 주어진 업무는 무려 두 사업을 기획하고 운영한 다음 정산까지 하는 것이었다. 사수는 꿈도 못꾼다. 실수해서 혼나거나 눈치 보며 바쁜 분들께 말을 걸거나. 첫 회사였기에 당연히 할 줄 아는 게 아무것도 없었음에도, 난 당연히 할 줄 알아야 했다. 모를 수도 있다고 말씀하시지만, 모르면 안되었다. 하루하루가 긴장의 연속이었다. 덕분에 일은 빨리 배웠지만, 내 연차와 비교하면 하는 일들이 과분하다고 느꼈다.

2.

취미생활과 대외활동을 통해 느꼈던 '참여자'로서의 즐거운 감정은 '담당자'가 되자 180도 바뀌었다. 참여자가 즐거워지려면 그만큼 담당자의 눈물이 필요한 것을 깨달았다. 내가 주말에 축제를 즐기려면 누군가는 주말에 일하는 것이다. 그 역할을 내가 하게 되었다. 내가 '담당자'라 슬픈 감정이 들면서 동시에 다음에는 이런 행사에 꼭 '참여자'로서 참여해야겠다고 느끼게 했던 행사가 있었다. 기후 위기 관련하여 포럼을 기획한 적이 있다. 전시, 축제, 문화유산 각 분야의 관점에서 기후 위기를 어떻게 바라보고, 그에 따라 어떤 문화행사를 추진할 수 있을지 고민해보는 자리였다. 나도 기획하는 사람이라 이런 고민 지점을 풀어보고 싶었고, 개인적으로도 기후 위기와 문화예술을 접목하는 데 흥미가 있었다. 사심도 가득 넣어 연사를 초청하고 포럼을 개최했지만, 정작 나는 연사분들의 인사말조차도 제대로 듣지 못했다. 조금만 집중하려 하면 관객이 말을 걸었고, 또다시 집중하려 하면 업체에서 나를 찾았다. 궁금한 것이 참 많았는데, 열심히 증빙 사진을 찍고 청구서에 서명을 받으며 와주셔서 감사하다는 말을 전하는 게 나의 현실이었다.

   3.

   공공기관에서 일하면 빠질 수 없는 이야기는 바로, 민원이다. 당연히 민원은 생길 수밖에 없다. 사람마다 생각이 다르니 누구나 자신의 의견을 자유롭게 말할 권리가 있다. 나 또한 부당하다고 느끼는 것에는 민원을 제기하므로 민원인의 상황을 이해하지 못하는 것은 아니다. 그런데 생각보다 많은 민원인이 내가 사람이라는 것을 인지하지 못한다. 내 한 몸으로 많게는 수백 명을 상대해야 하고, 나도 항상 실수 없이 완벽할 수는 없고, 나도 모르게 감정이 드러날 수도 있다. 하지만 절대 이를 참을 수 없어 한다. 나는 아무리 바빠도 한 명 한 명에게 친절하게 응대해야 하고, 한 치의 틈도 없이 모든 것을 놓치지 말아야 하며, 울거나 한숨 쉬거나 짜증을 내서도 안 된다. 민원을 받으면 받을수록 감정이 사라지고 있다. 어차피 내가 할 수 있는 것도 없다. 이제는 상대방이 아무리 화를 내고 소리를 질러도 상대방의 화가 가라앉을 때까지 덤덤하게 죄송하다고 한다. 하나도 죄송하지 않을 때가 더 많지만.

4.

지금까지 말해 온 그 무엇보다도 이게 제일 견디기 힘든 부분이다. 나는 '성장'을 매우 중시하는 사람이다. 그래서 어렸을 때부터도 가만히 있지 못했다. 무언가를 하지 않으면 매우 불안하고 나 자신이 남들보다 뒤처지는 기분이 들기 때문이다. 회사에 안정을 느끼자마자 다양한 외부 활동을 시작한 것도 그 이유이다. 그러나 정작 회사 안에서는 나를 성장시킬 수 있는 것들이 부족한 상황이다. 기획한 사업이 상사의 트집 없이 온전히 실현될 기회조차 마련되기 어렵고, 실무자의 역량을 강화하기 위한 실질적이고 현실적인 교육도 거의 없다. 회사 안에서 내가 할 수 있는 것은 무엇일까, 이 일을 함으로써 내가 얻게 되는 것은 무엇일까 하는 고민을 수도 없이 하게 될 수밖에 없다. 그동안 내가 노력했던 것들이 허무해지는 순간을 맞이할 때가 꽤 생긴다.

이렇게 흥미와 관심이 가득한 분야가 정작 일로 다가오니 전혀 반갑지 않다. 회사에서의 모든 것들은 곧 나의 업무가 되고, 그렇게 쌓인 업무들은 스트레스로 바뀐다. 스트레스로 인해 건강까지 악화하자 점점 회의감이 들었다. 하지만 나는 그만둘 수가 없다. 이 일을 하지 않으면 할 수 있는 게 없다. 내가 다른 일을 하는 모습을 상상해 본 적도 없고 앞서 말했듯 별다른 자격증이나 기술도 없다. 이런 나를 받아줄 곳이 있을까? 내 일을 유지하면서도 행복해지는 방법은 진짜 없을까? 한 살이라도 어릴 때 아예 새로운 분야를 시작해야 할까? 끊임없이 고민했다.

에필로그
다시 좋아해 보기 : RE-TURN

　단순 흥미로 시작된 취미가 직업으로까지 연결되었다. 즐거움 하나만 보고 달려온 10년이었다. 지금은 제일 힘든 시기를 겪고 있다. 내 마음속에서 회의감이 커질 대로 커졌다. 누군가 그랬다. 그 재미를 알기에 지금 더 아플 수도 있다고. 하지만 어쩌면 다시 내 일을 좋아하기에는 이미 너무 먼 길을 돌아온 것이 아닐까.

　곰곰이 생각해 봤다. 내가 왜 이 길을 선택했을까. 내가 정말 하고 싶었던 것이 무엇이었나. 내가 느끼고 싶었던 감정은 또 무엇이었나. 그리고 나는 무엇을 좋아하는가.

　나는 전시를 좋아한다. 작품을 통해 새로운 세계를 만나기 때문이다. 나는 축제를 좋아한다. 사람들이 진정으로 즐기는 웃음을 들을 수 있기 때문이다. 나는 문화재를 좋아한다. 가만히 바라보면 마음이 안정되기 때문이다. 나는 내 생각을 펼치는 것을 좋아한다. 누군가가 이에 공감해 주는 데 희열을 느끼기 때문이다. 나는 새로운 시도를 좋아한다. 아무도 하지 않았던 것을 내가 해보는 신선함이 좋기 때문이다.

　이러한 것들이 일하는 과정에서 나도 모르게 나온다. 그리고 결국, 또 다른 내 행복을 만든다. '아, 나 아직 많이 좋아하는구나.'

　마침 얼마 전 열어본 뉴스레터에서 읽은 한 구절이 너무나 와

여이진

닿았다. 전자음악 장르 중 하나인 앰비언트 음악에 관한 이야기였다. '최소한의 음으로 여러 레이어를 쌓아 만든 음악은 느리지만 집요하게, 성실하면서도 분명하게 울림을 만들어요. 그리고 그 울림은 공간에 세계관을 부여하죠.'[1] 잊혔던 나의 열정과 관심을 다시 쌓아 올려 울림을 만들 때까지, 그리고 그 새로운 울림이 나라는 공간에 부여될 때까지 다시 달려보려 한다. 나를 향해, 나와 같은 고민을 하고 있을 사람들을 향해, 그리고 자신의 일을 열렬하게 사랑하고 있을 사람들을 향해 응원을 보낸다.

나의 글은 여기서 끝나지만, 아직 에필로그의 마침표를 찍은 것은 아니다. 어쩌면 또 새로운 프롤로그를 적고 있을지도 모른다.

---

1 다다레터 61번째 레터 〈울림〉, 고요한 숲속으로 이끄는 울림 中

나에게 무슨일이

와이

Hello:)

선택의 가능성 (쉼보르스카 시 '리라이팅')[1]

하나도 어둡지 않은 사람보다 어둠을 하나라도 가지고 있는 사람을
더 좋아한다.
나도, 불안정한 상황보다 안정적인 상황을 더 좋아한다.
잘 생긴 얼굴보다 개성 있는 얼굴을 더 좋아한다.
책을 읽는 것보다 책을 사는 걸 더 좋아한다.
고양이보다 개를 더 좋아한다.
철학보다 문학을 더 좋아한다.
읽기보다 쓰기를 더 좋아한다.
통통한 것보다 약간 마른 걸 더 좋아한다.
늙음보다 젊음을 더 좋아한다.
짧은 머리보다 긴 머리를 더 좋아한다.
변하는 것보다 그래도 변치 않는 걸 더 좋아한다.
바지보다 원피스를 더 좋아한다.
키가 작은 것보다 키가 큰 걸 더 좋아한다.
지금보다 항상 과거의 기억을 더 좋아한다.
서 있는 것보다 앉아 있는 걸 더 좋아한다.
말하는 것보다 글로 정리하는 걸 더 좋아한다.
아주 가끔은 혜화보다 홍대를 더 좋아한다.
아메리카노보다 라떼를 더 좋아한다.
애플보다 삼성을 더 좋아한다.
화장 안 한 내 얼굴보다 화장 한 내 얼굴을 더 좋아한다.
선크림보다 양산을 더 좋아한다.
참는 것보다 싸우는 걸 더 좋아한다(?).
헐렁하게 찬 글보다 꽉꽉 채워진 한 페이지를 더 좋아한다.
잊지 않는 나보다 잊은 나를 더 좋아한다.
온라인보다 오프라인을 더 좋아한다.
하지만 사람을 만나는 것보다 안 만나는 걸 더 좋아한다.
에스파보다 뉴진스를 더 좋아한다.

---

1   진은영·김경희, 「문학, 내 마음의 무늬 읽기」, 엑스북스, 2019

프롤로그
겨울 이불과 소화기와 마법

어릴 때, 부모님이 자주 싸워서 불행했다. 부모님이 내게 공부를 강요해서 불행했다. 공부 외엔 내게 아무 관심이 없어서 불행했다. 내가 1등이 아니라서 불행했다. 공부가 너무 싫어서 불행했다. 아무도 세상사는 법을 알려주지 않아서 불행했다. 세상엔 착한 사람들만 있는 게 아니란 걸 몰라서 불행했다. 너무 어려서 불행했다. 제대로 된 보호를 받지 못해서 불행했다. 그러다 난 성공을 바라게 됐다.

불행해서 성공하고 싶었을까? 불행의 반대가 성공인 줄 알고서.

성공은 정말 불행의 반대일까? 성공하면 그럼 불행은 모두 사라지는 걸까?

10대에는 내가 공부를 잘하는 게 성공이라고 생각했다. 부모님이 싸우면서 내 이름은 단 한 번도 나오지 않았지만 내가 공부를 못 해서 싸우는 거라고 생각했다. 싸우는 이유가 나 때문일 거라 생각했다. 그래서 내가 공부를 잘하면 부모님은 싸우지 않을 것 같았다. 내가 1등을 하면 집안이 화목해질 것 같았다. 그러면 나도 행복한 가정에서 살 수 있을 거라고 생각했다. 싸움이 사라진 자리엔 당연히 웃음과 행복이 오는 줄 알았다.

하지만 난 1등을 못 했고, 공부를 못 했고, 계속 불행했다. 역시 내가, 우리 집이, 계속 불행한 이유는 나의 불우한 성적 때문임이 확실해졌다.

후진 대학엘 들어갔다. 그래서인지 부모님은 항상 화가 나 있었고, 전보다 더 자주 싸웠고, 나는 부모님을 실망시켜드려서 너무나 죄송했다. 말은 안 했지만 그 후 10년 동안 죄인으로 살았다. 나는 어른이 돼서도 불행했다.

다 나 때문이었다. 나만 잘하면 세상은 행복해지는 거였고, 나만 못 해도 세상은 불행해지는 거였다. 나, 나, 나… 다 나 때문이었다.

어른이 되었으니 공부 말고, 돈과 명예로 성공하기로 했다. 돈과 명예 정도면 공부를 잘 하는 것만큼 귀한 일이니 부모님도 만족하실 것 같았다. 돈과 명예로 성공하면 부모님도 '그래, 이제라도 성공했으니 전에 공부 못 했던 건 잊어주마.'라고 생각해주실 것 같았다. 그리고 드디어 부모님은 화도 내지 않고 서로 싸우지 않고 서로 마주 보며 웃게 될 것이라고 생각했다. 그 게 내가 하루라도 빨리 성공하고 싶은 이유였다. 부모님이 웃게 될 것 같아서, 그 모습을 보고 나는 안도할 수 있을 것 같아서…

내게 성공은 불행이란 화마를 덮는 두꺼운 겨울 이불, 어떤 큰 불도 빨리 끌 수 있는 세상에서 가장 성능 좋은 소화기, 나는 어떻게도 할 수 없었던 부모님을 웃게 만드는 마법이었다.

뭘 하든 항상 조급했다. 뭐든 빨리 끝내고, 빨리 엄청난 성과를 이뤄서 유명해져야 하는데 그런 일은 벌어지지 않았다. 그리고 대단한 일, 훌륭한 일을 해야 한다고 생각했다. 그런 일들을 해야지만이 대단한 사람, 훌륭한 사람 그래서 성공한 사람이 될 수 있는 거라고 생각했다. 그러나 주변에 그런 일들은 없었다. 아니, 내게 그런 일들은 주어지지 않았다. 티비에 나오는 사람들만 그런 일을 하고 있었다. 나는 고작 학교 과제, 아르바이트, 독서하기 같은 것들이나 하고 자빠져 있어야 했다. 그게 매우 큰 불만이었다.

'언제까지 이딴 것들만 해서 어느 세월에 성공하겠어?!!'

　나는 느리고 스페셜하지 않은 하루 하루가 너무 답답했다. 빨리 성공해야했으므로 한 방에 뜨는 걸 노렸다. 눈에 불을 켜고, 그럴 수 있는 일들을 찾고, 만들어내려 했다. 꼭꼭 숨어있는 그 기회를 찾으면 혹은 만들어서 하기만 하면 해 낼 자신이 있었다. 불로초를 찾으려 했던 진시황처럼 나도 있는지 없는지 알 수도 없는 성공의 기회를 찾으려 돌아다녔다. 그러나 그런 일은 그런 기회는 일어나지 않았다. 나는 고생 없이 척척 뜨는 스타들 같은 팔자가 아님을 탓했다. 지루하고, 그저 그렇고, 매일 똑같은 일상 같은 내 평범한 팔자를 원망했다.

　나는 점점 하루 하루가 의미없고, 재미없고, 대단한 일이 아니면 하지 않았기 때문에 할 일조차 없는 채로 붕 떠 있었다. 발이 땅에 닿지 않은 채 붕 떠 있는 그 기분은 더러웠다. 나는 나의 겨울이불과 소화기와 마법의 세계에 빠져 현실 감각을 점점 잃어가고 있었다. 그리고 다시 돌아갈 수 있는 길은 매일 매일 지워지고 있었다.

반지하의 낯익은 서늘한 바람이었다.

'?'

상황을 제대로 파악하기도 전, 순식간에 내 몸의 절반이 지옥엘 다녀왔다.

1

외로움이 삶의 위협으로

이사할 집을 알아보고 있었다. 그러던 중 서울에선 구하기 쉽지 않은 가격으로 매물이 나왔고, 중개인과 함께 그 집을 보러갔다.

그런데 현관문을 열고 중개인과 안을 들어서려는데 내 심장은 덜컹 내려앉았다.

'여기서… 나 혼자…?'

그 공간만의 공기가 낯설지 않았다. 그곳에 혼자 있게 될 나를 분명 조여 올 공기였다. 그리고 그 순간, 쿵하고 들렸던 공포 역시 그날이 처음은 아닌 듯 낯설지 않음을 눈치챘다. 눈 앞에 펼쳐진 넓직접직한 공간. 그걸 깜짝 놀란 눈으로 쳐다본 내 얼굴 근육의 움직임이 아직도 살아있다.

나는 **세상에 혼자가** 된 그 느낌을 안다. 진짜 그렇게 느꼈으니까. 체험했으니까.

어느 날, 집으로 가는데 갑자기 바로 앞 이차선도로가 노란 중앙선을 사이에 두고 넓어지다, 갑자기 가로금이 내리쳤다. 땅이 쩌억 하고 갈라졌고, 번개 모양으로 간 금은 드디어 해냈다는 듯

땅속의 시커먼 속내를 벌려줬다. 도로가 절벽이 되면서 그 위를 지나던 차, 사람, 돌덩이 등이 그 틈 사이로 우두두 빠져버렸다. 계획이라도 된 듯, 우두두…

그리고 격렬한 풍경 앞에 나는 혼자 서 있었다. 세상에 나뿐, 아무도 없단 걸 직감했다.

그 느낌을 체험하고, 이따금씩 심리적으로 혼자라고 느낄 때마다 다시 그 느낌은 구름떼처럼 몰려왔다. 느껴지는 고통을 후후 불어 먼지를 털어내고 실눈을 하면 희미하게 새겨져보였다.

오래 전부터 이 세상엔 나만 태어날 예정.
이 모든 건 누군가의 계획표의 한 일정.

고통을 예정과 일정이란 자연스런 미래로 느꼈다.
아픈데 어디가 아픈지 모르겠다.

상담사는 단번에 알아보았고, 이미 난 알고 있었다.
"와이님은 착실하지 않을 것 같아요."
내가 착실하지 않다는 거.

2
내가 한 일이라곤 아무 것도 안 한 것

참 오랫동안 남들에게 성실한 사람으로 보이기 위해 얼굴 근육 하나까지 무던히도 애쓰며 살아왔는데… 나를 알아 본(?) 그 말에 성실한 척 연기하지 않아도 된다는 생각이 들어 마음이 너무 편안해졌다. 갑자기 마음이 쫄쫄쫄 흐르는 도랑물에서 넓은 바다가 된 것처럼 확 트였다. 날 누르고 있던 거대한 암석도 사라졌다.

TCI(기질 및 성격검사)에서 인내의 척도인 근면과 끈기가 모두 집단평균에 비해 많이 모자랐다. 특히, 끈기는 점수가 평균의 반토막 수준이었다. 내 이럴 줄 알았지. 놀랍지도, 충격 따위 같은 순진스런 리액션 같은 것도 없었다. 내가 근면성실하지 않다는 걸 난 이미 알고 있었으니까. 그 사실을 받아들이기까지 오랜 시간이 걸렸을 뿐.

인내가 적으니 힘들고 어려운 일을 할 수가 없었다. 삶에서 중요한 일들은 모두 어렵고 힘든 일들인데 말이다. 그런 할 수 있고 없고의 문제도 문제였지만, 또 다른 큰 문제로는 뭐든 꾸준히, 끝까지 하지 못 한다는 것이었다. 학업도, 입시도, 일도, 설거지도, 방청소도, 크고 작은 모든 일들을…
집단평균에 모여 있는 사람들은 알까? 그게 사는 데에 얼마나 치명적인지 말이다.

　내가 성실했던 건 유일하게 포기하는 일이었다. 난 매일 포기했다. 뭐든 조금이라도 고통스러워지면 포기했다. 그런 고통은 너무도 많았다. 포기할수록 포기하는 게 점점 많아졌다. 포기한 일들은 모두 절벽 아래로 추락하고, 이제 나 하나만 남았다. 결국 나도 저 밑으로 떨어지는건가? 떨어지고 싶다고도 그게 다시 싫다가 끊임없이 바뀌는 마음을 진정할 수 없었다. 어떤 결정을 해야 하는지 그 선택도 그만 포기하고 싶었다. 사는 게… 정말 숨 쉬는 것도… 힘든 삶이다.

아무리 쉬어도, 15시간을 자고, 17시간을 자고, 하루 종일 자도 내 피로의 무게는 그대로였다. 너무 무거웠지만 아무에게도 떠넘길 수 없는 저주가 걸린 그 무게를 나는 계속 지고 살고 있다.

3
쉬어도 쉬어도 쉬고 싶은_

　대학을 졸업하고, 서울에 올라와 이 고생 저 고생 거기에 진로로 인한 마음고생까지 겹치면서 그 증상은 시작됐던 것 같다. 몇 시간, 며칠, 몇 주를 쉬어도 쉬고 난 후 느끼는 개운함이나, 힘이 보충된 느낌이 전혀 들지 않았다. 아무리 쉬어도 쉬기 전 힘든 상태 그대로였다. 정말 쉬어도 쉬어도 쉬고 싶었다. 그 상태는 피곤이라기보다 지쳤다는 표현이 더 알맞을 것 같다.

처음엔 가슴에 둥그렇게 구멍이 난 것 같았다. 열심히 쉬어봤자 자꾸만 그 구멍으로 에너지들이 계속 새어나갔다. 나는 가슴이 뻥 뚫린 채로 서울 어딘가를 배회하고 다녔다. 서울에 와서 한동안은 고시원에서 지냈는데 고시원 바로 근처 편의점에서 새벽 6시부터 일했다. 6시부터 오후 1-2시까지 일을 하고 고시원으로 돌아오면 그 다음 날 새벽 6시에 다시 일어나기 전까지 내리 잤다. 15, 16, 17시간을 잤다. 그런데 그렇게 자도 일어나는 게 지옥이었다. 24시간을 채워서 하루 종일 자고 싶었다 아니, 쉬고 싶었다. 쉬는데도 왜 이렇게 지치는 건지 도무지 알 수 없었고, 알 수 없으니 어떻게 해야 할 지 모르겠어서 답답했다. 가슴에 구멍이 난 것 같은 기분이 들고부터 그랬단 거 외엔 아무것도 알 수 없었다. 그 뒤로 몇 년간, 꾸준히 상담을 받았지만 그 원인 모를 지침은 정도야 많이 나아졌지만 여전히 나를 괴롭히고 있다.

상담사는 내가 상담을 갈 때마다 운동 이야기를 꺼냈다. 일단, 왜 이런 진절머리 나는 상태가 된 건지 너무 궁금해서 이유를 물었다. 이유를 안다고 해서 지금의 상황에 도움이 되는 건 없다는 건 잘 안다. 그동안 이유를 물었던 다른 문제들처럼. 그래도 너무 궁금했다. 상담사가 뭐라고 대답했는지 정확히 기억나진 않는다. 하지만 경험으로 추측해보자면, 이유가 다양해서 딱히 하나를 꼽진 않았거나 체력 이야기를 했을 것이다. 아무튼 상담사는 내가 체력을 반드시 키워야 하고, 그래야만 좋아질 거라고 했다.

살면서 대부분 중요한 일들은 풀기가 간단하지 않았다. 인간관계를 비롯, 좋든 싫든 현재 하고 있는 일이며 반드시 이루고자 하는 자신의 꿈 등… 자신이 나아가야 할 방향을 스스로 알아보고, 길을 만들고, 방법을 찾아내야 한다. 그 방법은 이 세상 누구에게 나 주어진 삶의 숙제다. 그것들은 심플하지 않고, 머리를 써야 한 다.

그런데 나는 조금만 복잡하고 어려워진 문제는 바로 놔 버렸 다. 머리를 쓴다는 자체가 너무 귀찮았다. 상담을 받으면서 귀찮 게만 여기던 그 기분에 대해 천천히 다시 느껴보기 시작했다. 자세 히 들여다본 그 귀찮은 감정은 귀찮음이 아닌 힘듦이었다.

힘들었다. 나는 매번 어려운 문제에 부닥치면 풀어야될 생각 만으로 이미 지쳐 나가떨어졌다. 달리기도 전에 이미 달린 것 같이 지쳐서 달리는 걸 포기했다. 그렇게 너무 많은 일들을 포기하면서 살았다. 그렇게 포기하기 시작하면서부터 내 삶은 언제 난파될지 모르는 바다 위 돛단배처럼 위태로워지기 시작했다.

외출 후 집에 돌아와서 옷을 옷걸이에 거는 일마저 내겐 힘이 드는 일이었다. 옷을 허물처럼 벗어놓으면 그다음 날에 다른 옷이 그 위에 쌓였다. 그다음 날도 또 그다음 날도, 청소며 설거지, 빨 래 모든 것들이 생각만 해도 날 지치게 만들었다. 그리고 그냥 그 대로 침대에 엎어져 하루 종일 움직이지 않았다. 그걸 사람들은 보 통 게으르다고 한다. 난 내가 게으르다고 하기엔 너무 여러 가지를 하고 있는 것 같은데.

쉬어도 쉬어도 쉬고 싶다.
전에 누가 내게 그랬지.
사람들 다 그렇다고…

그 뜻이 아니야…

놀아도 놀아도 놀고 싶은 게 아니라, 쉬어도 쉬어도 계속 지쳐 있다는 말이야…

언제부터인가 나는 내 고통에 대해 이해시키길 포기하기로 마음 먹었다.

202*년 2월 2*일
*상담 마치고 병원가는 길_*

4

어느 날들

버스에서 내려 다이소엘 잠깐 들렀는데 내가 불안함과 초조함을 느끼고 있다는 사실을 알아차림 → (그 원인을 추측해 봄) 병원 예약 시간에 늦은 상황은 아니고, 예약 시간이 정해져있음에 초조한 건가? + (또 다른 추측) 물건 선택의 부담을 느낀건가? → 병원 도착, 대기 중에 불안감 더 크게 느껴져 미칠 것 같은 고통 시작 → 편한 자세로 호흡을 천천히 들이쉬어 본다(얼마동안 했는지는 모르겠음) → 불안을 느끼기 시작한지 1시간여만에 불안감이 줄어들기 시작 → 진료 마치고 집으로 가는 지하철 탑승, 하차하고 집으로 가는 길에 다시 호흡곤란 시작 → (답답한 마음과 고통에 원인을 또 추측해 봄) 지하철 안에서 아까 방금의 생생한 고통을 블로그에 어떻게 쓸 것인지 생각 중이었단 거 외엔 특별히 생각한 건 없던 것같음 → 저녁 6시 무렵, 집에 도착했고, 숨을 쉬는 게 더 힘들어짐 → 도착 후, 바로 글을 썼는데 호흡이 계속 힘들었고, 글을 쓰면서 천천히 다시 숨을 들이쉬어 봄 → 잠시 호흡이 편해지는 듯 하더니 밤 11시 15분인 지금까지 제대로 숨쉬기가 어려움 → 글을 쓰느라 호흡 운동을 제대로 못 했을 거라고 생각, 다시 호흡 연습 중

202*년 3월 ?일

조명등만 켜놓고 하루 종일 티비 한 번 안 켜고, 침대에 누워 핸드폰만 가지고 놀았음.

그래도 최근 들어 상담을 다시 시작해서인지 이렇게 아무것도 안 하고 놀기만 해도 전혀 불안하지 않고 매우 편하게 느끼고 있단 사실에 좋았음.

전엔, '니가 지금 이러고 있을 때냐? 소중한 하루를 이렇게 보내는구나…' 하는 생각에 매우 힘들었음.

그러던 중, 지인과 통화를 했는데 갑작스레 해야 할 일들이 머릿속에 주루룩 떠오름.

통화를 마치니 곧장 안정을 되찾음.

하진 못 했지만 '청소를 하고 싶다.'는 생각이 들어서 기분이 좋았음.

다음 날

어젯밤 계획은 오늘 아침 8시에 일어나서 집 정리도 좀 하고 아침을 즐기다가 상담을 가려고 했음 → 그런데 일어나기 싫고, 이

불 속에서 계속 편한 게 좋아 알람 소리에 깨다 자다를 반복하다 결국 11시에 기상 → 계획한 대로 되지 않아 분노와 짜증이 일었던 것 같음 → 아무튼 일어나서 상담 갈 준비를 함 → 그런데 완벽하게 씻을 수 없을까봐 도저히 못 씻겠다는 생각함 → 그 생각에 너무나 큰 두려움을 느낌 → '아… 이게 상담사님이 말한 생각이 많다는 거구나'라고 혼자 생각 → 상담가기 싫고 어제처럼 그냥 하루 종일 누워있고 싶은 마음 → 완벽하게 씻어야 한다는 강박이 들었고, 그딴 건 없단 걸 머리로는 알면서 강박이 컨트롤이 안 됨 → 10분 더 누워있었고, 10분 내내 아무래도 완벽하게 씻을 수 없을 것 같단 생각에 씻는 것을 포기하고 싶을 만큼의 두려운 감정이 본인을 짓누름 → 상담이 이 고통의 유일한 해결책임을 알기에 안 갈 수 없고, '상담이 날 변화하게 해줄 거야.'라고 스스로 다독임 → 그렇게 마음을 다 잡고 어렵사리 씻기를 시도했는데, 이번엔 내가 내담자 중 상담실에 제일 먼저 도착해 있어야 된다는 생각함 → 상담실 소파에 앉아서 차례를 기다리고 있는 본인의 모습 연상 → 머리로는 '빨리 가야 돼. 빨리 가고 싶다.'는 생각이 계속 맴도는데 현재 나는 집이고 미쳐버리겠음. 상담실에 빨리 가고 싶은 마음이 정말 간절함.

5

내 남자친구에게

혼자 묻고 답하고, 나는 남자친구 대왕마마께 문안 인사 한 번씩 여쭐 때마다 천근 만근한 고민을 한다. 그렇게 겨우겨우 한 줄 보내놓고 답장이 바로 오지 않으면 이젠 또 여기서부터 시작된다, 산지옥이. 속은 초 단위로 백번 천번 뒤집어졌다가, 하늘에서 땅으로 처박힌다. 그럴 때마다 차라리 물리적인 고문이 속 편하겠단 생각을 한다.

늘 내 연애는 이런 식이었다. 을의 연애.
벌벌 떨면서, 그들의 말 한마디, 연락 한 번, 행동 하나 하나에 전부 의미를 부여하면서.

– 아까 남자친구가 왜 나한테 그런 말을 했을까?
– 내 매력이 떨어져 보이기라도 한 거면 어쩌지?

그와 함께 했던 순간들을 얼른 되짚어본다. 몇 가지 짚이는 게 있다. 절망적이다. 답장이 왜 늦어지고 있는지, 그 왜에 대한 근거 없는 대답들이 한가득 만들어진다. 그리고 원인은 내게 있는 것으로 결론이 난다. 내가 덜 예뻐서, 내가 덜 매력적이라서, 내가 덜 똑똑해서 등등으로 지금 늦어지고 있는 이 답장의 의미를 반드시 분석해내고야 만다.

  - 그때, 그렇게 재미없게 말하는 게 아니었는데… 그때 내 모습이 별로였을 것 같아…

나에게 처절한 원망과 절망을 쳐바르며 절규한다. 이제 지옥이다.

  - 난 이제 끝이야. 차인 거야. 나랑 더 이상 만나고 싶지 않은 거야…

  띠
   링

그러다 연락이 오면 순식간에 모든 건 천국으로 돌변한다.

 - 그래, 그럼 그렇지. 내가 너무 나쁜 쪽으로 생각한거지.
 - 사람을 내가 너무 못 믿네. 이러지 말아야지.

천국과 지옥을 왔다 갔다 한다.

 연애를 시작하면 일과 데이트 외엔 아무것도 할 수 없었다. 남자친구가 떠날까봐 드는 불안과 공포에 반드시 할 수밖에 없는 일

외엔 모든 게 제 기능을 상실한다. 내 일과는 전부 남자친구 중심으로 맞춰진다. 기상하자마자 남자친구에게 연락을 하고, 답장이 늦을 경우 위의 순서를 지겹게 반복하며 늘 새로운 고통을 만끽한다.

아침 먹고, 남자친구.
점심 먹고, 남자친구.
저녁 먹고, 남자친구.
자기 전에, 남자친구.

이것이 내 연애의 일과였고, 꾸준한 패턴이었다.

난 혼자가 불가능한 삶을 살고 있었다. 거기에 남자친구란 내 삶에 가장 큰 영향을 미치는 부모보다도 절대적인 존재였다. 남자친구가 생기면 그의 바짓가랑이를 붙잡고 매달리는 심경으로 연애를 했다. 연애는 시작됐지만 하루하루가 불안하고 초조했다. 남자친구가 내 곁을 언제 떠날지 몰라 걱정하고 그 걱정에 돌아버릴 것 같았다. 나는 남자친구를 통해서만 호흡이 가능했고, 그에게 매달려 겨우 겨우 내 삶을 연명했다. 남자친구는 내게 산소와 다름없었다. 산소라는 표현이 다소 과장이라고 생각한다면 절대 그렇지 않다. 남자친구가 없으면 난 숨이 끊어질거라고 생각했고, 그렇게 믿었다. 그리고 그 믿음은 굉장히 강렬했다.

  - 무슨 영화보고 싶어?
  - 어?…
  - A 볼래?
  - 응, 그래.

- *B 볼래?*
- *어, 그래.*
- *C 볼래?*
- *그래.*
- *…뭐가 이래?*

그냥 다 좋다는 나를 남자친구가 이상하게 빤히 쳐다봤다. 최대한 모든 걸 남자친구에게 다 맞춰야 차이지 않을 것 같았다. 헤어질 이유가 될 조그마한 구멍 하나 만들지 않는 방법은 그가 하자는 대로 난 그저 찍소리도 안 하는 거라고 생각했다. 그의 눈 밖에 절대 나서는 안 된다고 생각했다. 그게, 내 남자친구가 날 떠나지 않을 수 있는 가장 좋은 방법이라고 생각했다. 난 숨이 끊기고 싶지 않았다. 죽고 싶지 않았기 때문에. 남자친구가 떠난 빈자리를 내가 모두 감당해야하는 시간들을 버틸 자신이 하나도 없었기 때문에.

남자친구가 떠나면 내 숨통은 끊긴다. 남자친구가 떠나면 난 죽는다.
남자친구가 떠나면 내 숨통은 끊긴다. 남자친구가 떠나면 난 죽는다.
남자친구가 떠나면 내 숨통은 끊긴다. 남자친구가 떠나면 난 죽는다.
남자친구가 떠나면 내 숨통은 끊긴다. 남자친구가 떠나면 난 죽는다.
남자친구가 떠나면 내 숨통은 끊긴다. 남자친구가 떠나면 난 죽는다.
남자친구가 떠나면 내 숨통은 끊긴다. 남자친구가 떠나면 난 죽는다.
남자친구가 떠나면 내 숨통은 끊긴다. 남자친구가 떠나면 난 죽는다.
남자친구가 떠나면 내 숨통은 끊긴다. 남자친구가 떠나면 난 죽는다.

살려주세요, 누구든.

보고만 있었다, 그의 통화를.
보고만 있었다, 가만히.
내 고통은 거짓이 아니었기 때문에.

6

나는 알고, 너는 모르는 것.

– 그래서 도대체 언제 낫는데요?
– 아니, 얼마나 더 다녀야 하는 거에요?

결국, 내 남자친구는 해 내고야 말았다!

상담은 도대체 언제까지 받아야 하는지 여자친구의 담당 상담사와 통화한 남자친구 있으면 나와 보시라… 남자친구가 통화하는 모습을 보고 있으니, 평범한 일로만 가득한 일상에 뭔가 전혀 다른 어느 툭 튀는 퍼즐 한 조각이 나타난 기분이 들었다. 들리지 않아 더 적막하게 느껴지던 저 쪽 동네의 상황. 하나도 안 들리니까 더 겁이 났다. 잘못한 것도 없는데. 상담사가 얼마나 당황하고 있을지 짐작하니, 내 손발은 철판 위 오징어 다리 신세처럼 오그라 타들고 있었다. 그리고 다음 상담엔 어떤 표정으로 가야 할 지 벌써부터 계획을 짜고 있었다.

남자친구는 내담자 정보 보호로 상담사에게 많은 이야기를 듣진 못했다. 도대체 언제 낫느냐는 질문엔 숫자 대신 긴 설명이 있었으리.

그날 우리에겐 무슨 일이 있었나. 아마도 남자친구 관점, 여자친구가 우울증이랍시고 할 일은 쌓아두고 24시간 널부러져 집은 개판소판, 죽고 싶지만 떡볶이는 먹고 싶어 하고 있으니 울화가 치밀었겠지.

남자친구는 우울증 같은 건 없다고 생각했다. 그런 게 어딨냐는 식이었다. 그런 사람들이 꽤 많다. 우울증 아니고 의지 부족, 우울증 아니고 게으른 거, 우울증 아니고 자기연민… 아무리 설명하고 반박하며 울고 싸워봤자 바늘구멍만큼의 변화나 다른 어떤 의견도 수용할 기미가 전혀 없는 그 주관이 존경스럽기마저 했을 뿐이었다.

– 그럼, 사람들은 왜 자살을 할까?

우울증을 부정하는 사람들은 이런 질문에 당연히 대답할 수 없다. 입을 막기 위한 수단으로의 질문은 아니었다. 자살을 진짜 왜 하냐구? 그 이유를 되짚어가다보면 우울증에 대해 조금은 생각해볼 수도 있으련만… 니 생각이 바뀌진 않더라도 이해는 할 수도 있을텐데… 너님이 알아서 생각해보는 대신 내가 그 장황한 이야기들을 할 수는 없었다. 소득없는 다툼의 반복이 지겨웠으니까.

그런 와중에 희극과 비극은 오간다. 남자친구가 계속 우울증에 관한 의심을 떠들고 있으면
그 말을 계속 듣고 있으면 나도 내게 의구심이 들었다.

– 나 아픈 게 진짜 맞나?
– 내가 게을러서 그런 게 아닐까?
– 사실 우울증은 없는 게 아닐까?

의심이 생겼다기보다 원래 갖고 있던 내 의심이 깨어났다고 하는 게 맞을지도 모른다.

– 저렇게 멀쩡하게 두 발로 잘만 걸어다니는데 우울증이라고?

나를 향한 의심은 다른 사람들을 향해서도 시위를 당겼다.
시위를 당겼다.
화살에 맞았다.

에필로그

파마설트랄린정 50mg
: 정신신경용제

파피온서방정
: 정신신경용제

콘서타 OROS 서방정 36mg
: 각성제, 흥분제

인데놀정 40mg
: 부정맥용제

나스타제정
: 소화성궤양용제

나는 약을 먹지 않기 위해 약을 먹습니다.

완성된 한 권의 책으로 다시 만나는 날까지 모두 몸과 마음이 건강하길.

우울증 관련하여 도움이 필요한 분들은 언제든 물음 남겨주세요.

- kjh533@hanmail.net

감 성

· 루비인생

프롤로그

10년전 겨울, 우리 집에 고양이 한 마리가 왔다. 1년을 조르던 아이들의 성화에 못 이겨 남편이 어느 날 갑자기 사가지고 들어왔다. 흰색에 회색이 섞인 털에, 아주 작은 '페르시안 친칠라'였다. 생후 3개월된 아기 고양이는 몸집이 유난히 작았고, 동그란 눈은 더욱 커 보였다. 이 작은 동물은 이동용 가방에서 우리를 지켜보고, 우리 가족은 모두 동그랗게 모여 한참을 서로 대치한 후 그렇게 우리 가족과 만났다.

작고 앙증맞은 녀석은 보석같이 예뻤다. '루비'라고 이름지었다. 10년의 세월이 흐른 지금은 온 집안을 휘젓고 다니며 껑충 뛰다가, 어느 순간 얌전히 엎드려 나를 쳐다보고 있다. 어슬렁 거리며 설렁 설렁 걸어가다 다시 앉아서 구르밍하기 시작한다. 구르밍을 매일 하고 있으니 아직은 건강한 상태일 것이다. 털도 아직은 부드럽고 좋은 냄새가 난다. 그러다 어느새 보면 루비가 제일 좋아하는 큰딸 방 침대에 누워 곤히 자고 있다.

어느 날 이런 루비의 모습이 나였으면 하고 바랬다. 나는 매일 뭐가 그리도 바쁜지, 루비처럼 하루 종일 집에서 뒹굴뒹굴하며 쉬고 싶다는 생각이 들었다. 자고 싶으면 자고, 먹고 싶으면 먹고, 놀고 싶으면 놀고 그런 루비의 삶이 부러워졌다. '나도 저런 삶을 살고 싶다.' 내가 나의 시간의 주인이 되어 살고 싶어졌다. 어떻게 하면 끌려 다니지 않는 나만의 삶을 만들 수 있을까? 어떻게 살아야 내가 눈감는 순간 '후회없이 잘 살았구나' 할 수 있을까?

루비의 삶과 나의 인생을 돌아보며 나의 삶에서 소중한 가치를 나의 가장 가까운 곳에 있는 인연들을 통해 찾아보고 싶었다. 나의 인생을 소중히 가꾸어 나가고 싶어졌다. 아무도 내 삶을 대신 살아 줄 수는 없다. 여기 있는 나, 내가 나를 소중히 대하고 나를 사랑해줘야 한다. 여기 이 글을 통해 내 삶에서 가치 있는 것들을 끄집어내 보고자 한다.

1

빗속에서

어려서부터 난 아버지의 묵직한 사랑을 받아 왔다.

항상 그 자리에 꼿꼿하게 버티고 서 있는 소나무처럼 아버지는 그렇게 내 옆에 계셨다. 어릴 때 말고 내가 좀 커서는 아버지는 그 사랑의 마음을 겉으로 표현하는 건 극히 드물었다. 하지만 그 사랑을 넘치게 표현하지 않았을 뿐 묵묵히 그 자리에서 항상 나를 보듬어 주셨다. 하지만 엄마에겐 너무나 로맨티스트였다고 하신다. 결혼 기념일과 엄마 생신엔 빨간 장미꽃 한 송이를 항상 엄마에게 선물하셨다. 힘찬 필체로 쓰신 다정한 엽서와 함께 말이다.

한번은 엄마가 잠깐 집을 비운 사이 아버지가 외출할 일이 생기셨는데 책상에 작은 메모를 남기셨다고 한다.

'내 금방 볼일 보러 다녀오리다. 영원히 사랑하오.' 짧고 투박하지만 엄마에 대한 깊은 사랑이 고스라이 느껴진다.

나는 수능 2세대다. 눈이 펑펑 내리는 겨울에 수능을 치르고 지원한 교대에는 신체검사가 있었다. 그 당시는 교대에 직접 모여 신체검사를 하였다. 내가 사는 곳은 시골이라 그곳에 가려면 하루 전에 올라가서 자고, 다음날 내려와야 했기에 바쁜 엄마를 대신해 아버지께서 가주셨다.

아버지와 집을 떠나 다른 곳에서 잠을 자본 기억이 거의 없다. 부산에 계시는 친척 집을 방문했을 때를 제외하곤 말이다. 친척 집엔 항상 동생과 오빠가 동행했었다. 아버지와 단 둘이 떠난 여행이라면 여행일 수도 있겠지만 목적이 있었기에 그 일을 처리하곤 서둘러 집으로 내려왔다. 지금 돌이켜보니 아버지와 단 둘이 함께 했던 유일한 기억이다.

작은집과 우리 집을 통틀어 딸이 하나라 할머니와 아버지는 나를 많이 이뻐하셨다. 그러나 나는 성격 상 애교가 많거나, 아빠에게 싹싹하게 대하는 성격이 못되었다. 그냥 아버지와 할 말만 할 뿐 서로 조용한 성격이었다.

아버지 돌아가시고 얼마 안되어, 어릴 때 아버지와 찍을 사진을 보았다. 사진 속에서 나를 높이 비행기 태워 주시며 활짝 웃고 계시는 아버지 얼굴을 다시 보았다. 사진 속의 아버지는 너무 잘생기시고 젊으셨고, 무엇보다 나를 바라보는 눈빛에는 사랑이 가득하셨다.

살아계실 땐 왜 그 눈빛을 못 보았을까?

올해 5월이면 아버지 돌아가신지 딱 3년이 된다. 돌아가시기 전에 갑자기 찾아온 심혈관 질환으로 인해 건강이 급격히 나빠지신 후 대장암과 마지막엔 신부전증까지……. 돌아가시기 전 6년정도는 계속 아프시고 오랫동안 병원 신세를 지셨다. 옆에서 병간호하시느라 고생하시는 엄마는 살도 계속 빠지고 힘드셨지만 내색하지 않으셨다. 얼마나 힘드셨을까?

천둥소리에 놀라 잠에서 깼다. 오늘을 넘기시기 힘들 거 같다는 의사의 말에 우리 가족은 모두 병원에 모였다. 새벽 4시, 차 안에서 잠깐 잠들었는데, 자동차 지붕을 뚫을 거 같은 빗소리는 정말이지 큰 일이 날 것처럼 무서웠다. 밝게 개인 다음날 아침, 아버지는 그렇게 우리 가족 곁을 떠나셨다.

후회하지 않는 삶이 어디 있겠냐 마는 살면서 가장 후회되는 일은 누가 뭐래도 가족들과의 관계에서 맞닥뜨리는 것이리라. 아버지 수술하고 병간호 하실 때 '엄마가 계시니까…….'하며 많이 찾아뵙지도 못했다. 나 살기 바빴고 아이들 키우느라 가장 힘든시기였다.

너무나 후회가 많이 된다. 그리고 너무나 아버지에게 미안하다. 아버지 살아계실 때 좋아하시던 대게 한번이라도 더 삶아다 드릴걸, 가까운 곳이라도 가족들과 함께 여행 한번 이라도 더 다닐걸 하는 이런 저런 후회들 말이다.

감성

지난주에 엄마 집을 다녀왔다. 집에 갈 때면 아버지가 생각이 많이 난다. 가끔 운전하면서 차 안에서 혼자 펑펑 울기도 한다. 지난주도 엄마 집에 도착할 때쯤에 갑자기 또 펑 하고 울음이 터졌다. 차 안에서 음악을 크게 틀어놓고 펑펑 아주 많이 큰 소리로 억억하며 울었다. 속이 뻥 뚫리는 것 같았다. 힘들었을 엄마 옆에서 더 같이 있어주지 못했던 것도 후회된다.

정신없이 장례를 치르며, '마지막으로 아버지를 보내드립니다. 아버님께 한마디씩 하십시오' 하고 장례지도사가 말했다.

"아버지! 아버지 딸이어서 행복했습니다. 내 아버지여서 감사했습니다. 부디 하늘나라에선 아프지 마시고 행복하세요. 나중에 꼭 만나요. 사랑합니다." 아버지를 두 번 다시 볼 수 없다는 것이 실감나지 않았어도 그 말을 꼭 해주고 싶었다.

그렇다면 후회를 조금이라도 줄이려면 어떻게 해야 할까?

너무나 익숙해 들어 새롭지 않겠지만 바로 현재에 충실 하는 것이다. 바로 지금, 오늘 저녁, 이번 주말, 바로 시작해야 하는 것이다. 미루지 말고 서둘러야 한다. 무한하지 않은 인생은 나의 아버지를 나에게서 데려가버렸다.

옆에 있는 사랑하는 이들에게 진심을 다해, 후회하지 않을 시간을 서로 많이 나누어야 할 것이다.

2

마음 한 켠

오늘은 엄마손, 엄마 얼굴을 자세히 보았다. 어느새 주름이 가득하다. 오십 년 가까운 세월을 우리 가족을 위해 헌신한 엄마의 성적표이다. 삼 남매 주려고 밤새 담그신 김장 김치와 농사지으신 들깨 기름이며 시금치, 고춧가루까지 한 아름 나눠주신다. 이 세상에서 가장 큰 기쁨이라 하신다. 이 세상 엄마들의 마음 모두 다 같으리라. 오로지 자식 잘못될까 염려하시고, 맛있는 거 좋은 거 있으면 당신보다 자식 먼저 챙기신다.

딸은 엄마를 닮는다고 하였던가! 나 역시도 매일이 바쁘다. 삼 남매를 키우는 워킹맘이다.

지금 내 나이 때의 엄마를 생각해보면 항상 바빴다. 생계 때문인 것도 있긴 하지만 동네 부녀회장, 시골 학교이지만 학부모 회 회장, 새마을 지도자 회 회장 등 엄마가 할 수 있는 내에서는 계속 바쁘게 활동하시려 하셨던 거 같다. 엄마는 무엇이든지 도전하셨다. 아버지의 조언을 차분히 들을 줄도 아셨고 열정적으로 사시려고 하셨다. 엄마는 참으로 억척스럽게도 우리를 키우셨고, 사람 좋은 아버지와 할머니를 잘 모셔야 한다는 생각 뿐이셨다고 하신다.

엄마는 엄마의 꿈이 무엇이었을까?

젊은 시절 미용사였던 엄마는 정말 하고 싶었던 건 무엇이었을까?

시집와서는 안 해본 일이 없으셨다. 고생 많으셨고 그만큼 열심히 살았기에 조금씩 돈을 모아 땅을 샀다. 평생 농사라고는 모르던 분들이다. 내가 고등학교 때였을거다. 아버지도 새로운 열정으로 엄마와 함께 제2의 인생으로 농사에 뛰어들었다. 엄마는 여름철이면 15명이 넘는 일꾼들 아침 새참과 점심까지 전날 밤에 다 준비하셔야 하니 새벽이 되어 서야 눈을 붙이셨다. 그때 난 '그만하고 일찍 주무세요'라는 말 밖에는 해 줄 말이 없었다. 처음 몇 년은 농사가 잘 안 되어 빚도 지고 고생도 많으셨지만 꼼꼼한 아버지의 영농일지 덕에 농사는 금방 자리를 잡게 되었다. 뒷바라지하시는 엄마는 참으로 억척이셨다. 농사에 집안일에 우리 삼 남매 키우랴, 머리만 대면 금방 골아 떨어질 정도로 힘드셨다.

얼마 전 엄마에게 일기 쓰기를 권해드렸던 적이 있다. 수원에 살고 있는 사촌 언니와 통화를 하다가 이모가 얼마 전 치매 검사를 하고 오셨는데, 보건소에서 일기 쓰기를 권했다고 한다. 그래서 서로 일기를 써서 사진 찍어 보내고 서로 소통한다고. 엄마에게 말했더니 엄마는 흔쾌히 우리도 해보자고 하셨다. 카톡 사진 전송을 조금은 어려워하시지만 그래도 곧잘 하신다.

"나비야 나비야! 너희들은 참 행복하겠지? 늘 항상 예쁜 꽃들과 함께 살아가니까 말이야. 꽃들아! 오래오래 건강하게 잘 살아야해. 예쁜 꽃들아! 사랑해."나 혼자 산길을 걸어 내려오며 중얼거렸다. "엄마의 일기에선 사랑이 느껴진다. 소녀같다.

엄마는 오늘 있었던 일과 느낀 것들을 쭉 써내려 갔고, 나비를 보며 아버지인 거 같아 한참 대화를 했다 거나 텃밭에서 따듯한 햇살을 받고 자란 꽃밭을 보며 행복했다는 이런 일상들을 서로 공유했다. '엄마는 이런 생각을 하셨었구나'하고 새로웠다. 처음엔 단순히 치매 예방으로 시작하게 되었지만 엄마의 글쓰기를 보며 나와 똑같은 감성을 지니고 있음에 깜짝 놀랐다. 이런 내가 엄마에게 조금이라도 기쁨을 주었다고 생각하니 나도 입가에 웃음이 퍼졌다.

엄마의 김치와 고추장은 진짜 세상 제일이다.

입맛 까탈스러운 나의 큰딸은 아직까지도 외할머니 김치 아니면 아예 먹질 않는다. 고추장은 우리 남편의 최애 양념장이기도 하다. 삼겹살 쌈에도 고추장이 빠지지 않는다. 작년에는 엄마가 담그는 고추장을 같이 만들어보고 싶어서 처음으로 배워보았는데, 여간 어려운 게 아니었다. 고추장을 만들려면 일단 메주와 태양초 고춧가루 그리고 소금이 생각보다 아주 많이 들어갔다. 고춧가루는 농사지은 고추를 따서 건조기에 말리고 또 한동안은 방에서도 말려준다. 그리고는 방앗간에 가져가 곱게 빻아놓는다. 큰 장독대도 미리 깨끗하게 준비해 놓아야 한다. 내가 갔을 때는 소금과 고춧가루, 메주와 조청 등 재료들을 한데 섞어 장독에 담는 작업을 했다. 혼자는 도저히 할 수 없을 거 같은 일들이다. 정성과 시간을 들여야 하는 일들이다. 또한 엄마가 해주시는 구수한 냄비 밥과 누룽지는 엄마의 맛있는 김치만 있으면 금방 지은 밥 위에 길게 쭉 찢어 올린다. 금 새 밥한 그릇 뚝딱이다. 엄마의 맛있는 음식을 먹으러 더 자주 찾아 뵙고 여행도 많이 다녀볼 계획이다. 가까운 곳이라고 자주 함께 여행하고 새로운 경험도 많이 해보고 싶다.

"엄마! 아버지 돌아가시고 흘리신 그 많은 눈물들 제가 다 알아요."

마음 약해지고 무엇하나 하는 게 이젠 겁이 난다고 하신 엄마!

"제가 더 잘할게요. 걱정 마시고 하루 하루 같이 즐겁게 살아요."

"사랑합니다. 건강하세요!"

감성

이 세상의 모든 엄마는 위대하다. 내가 엄마가 되어보니 더 실감이 난다. 이 세상에서 나를 무조건적으로 믿어 주는 유일한 존재이다. 엄마의 큰 사랑이 더욱 더 실감난다. 내가 어떤 큰 사랑을 받고 자랐는지, 내가 얼마나 엄마에게 소중한 존재인지 또한 엄마가 나에게 얼마나 큰 사랑인지 말이다.

평생 우리 가족 뒷바라지 하시느라 고생 많으신 엄마. 이젠 편안하게 엄마 하고 싶은 거 다 하시고 엄마의 행복을 찾아 엄마만 생각하세요. 엄마에서 '나'로 살아가셔도 괜찮아요.

3

Thanks to

남편은 나와는 다르게 외향적인 사람이다. 매사에 긍정적이고 '소탐대실'을 우려하는 현실적인 야망가 기질이 있다고 해야 할까?

올해로 결혼한 지 20주년이 되었다. 세월 참 빠르다는 어른들의 말씀이 무슨 말인지 체감한다. 20년의 결혼 생활이 어쩜 이리도 20분 같이 느껴질까!

아침마다 진한 에스프레소 한잔을 내려 출근하는 남편이다. 맏아들이자 중2때 아버지를 여읜 남자다. 바르게 자랐났고, 평범하고 정신 건강한 사람이다.

살림도 잘한다. 분리수거, 세탁, 건조, 설겆이, 이젠 요리까지도 자주해준다. 내차 기름도 넣어주고, 세차도 해주고 부지런한 남편이다.

난 운전만 하면 되는거지~

그런 남편과 최근 들어 같은 취미를 갖게 된 것이 있다. 바로 골프이다. 남편은 오래전에 시작을 했었는데 아이들이 어리고 바쁘고 해서 손 놓고 오랫동안 지내오다가 작년 3월에 내가 시작한 후로는 같이 열심히 연습하고 있다.

연습장은 거의 매일 같이 다닌다. 우리 부부는 연습장에서 많지 않은 부부 커플 중 하나이다.

젊은 시절 남편, 그러니까 신혼 초의 남편은 아주 고집이 세고 다혈질이었다. 내 기억으로는 말이다. 주변에 친구들이 많고 친구들을 좋아해 신혼 초 시어머님과 같이 사는 새댁에겐 매일 스트레스였고 부부 싸움의 이유가 되었다.

3년을 시어머님과 함께 살다가 분가하였다. 돌이켜보면 같이 살았던 그 시간이 있었기에 지금의 시어머님은 엄마처럼 편하고, 함께 인생 고민도 나눌 수 있게 되었다.

막내가 아기 때 친정에 5일정도 맡기고 태국 가족 여행을 다녀온 적이 있다. 재밌게 놀고, 맛있는 거 먹고, 신나게 여행하던 그런 날들이었다.

그러던 어느 날 밤, 태국 시내 한가운데서 나 혼자 남겨져 서글프게 울던 기억이 난다. 살짝 오버된 기억이긴 하다. (기억력은 많은 왜곡이 들어갈 때가 있다.) 영어가 능통한 남편은 자유 여행의 계획자이자 주체자이다. 큰 틀은 남편이 짜고, 식사나 쇼핑, 방문할 관광지 등은 나와 딸들이 정하는 편이다.

저녁 식사를 하고 아이들은 잠깐 호텔에 두고 운동 삼아 남편과 태국 시내서 쇼핑을 하고 호텔로 돌아가던 길이었다. 사소한 말다툼을 하다 남편이 확 가버렸다. 혼자 남겨진 나는 숙소로 돌아가는 길도 몰랐을 뿐 아니라 영어로 길을 묻는 것도 어려워하는 사람이었다.

호텔까지 어떻게 돌아왔는지는 기억나지 않지만, 방콕 시내 한가운데서 크게 싸우고 더운 날씨를 탓하며 서글프게 울었던 기억은 난다. 살면서 남편에게 서글프고, 서러웠던 기억들은 그 후로도 여러 번 있었다. 그러나 지금은 전혀 서운하거나 기대를 한다거나 그런 건 없다. 남편은 바뀌지 않았다. 내 생각이 바뀐것이다. '남편은 원래 저런 성향의 사람이지, 그러니 내가 화를 낼 필요도 없는 일이야', '친구 하나 없는 남편보다 불러 주는 친구가 있는 남자가 더 낫지.' 이런 생각들을 갖게 된 이후부터는 더 이상 싸울일도, 기대할 일도 없다. 그저 감사할 뿐이다.

사람은 누구나 기대를 할수록 실망함이 큰 법이다. 남편도 사람이다. 무조건적으로 나에게 맞춰줘야하고, 나만 바라봐야 하는 사람이 아니다. 남편이라 더욱더 예의를 갖추고, 존중해주고, 모든 걸 알아주길 바라지 말아야한다.

매일 마셔 일상이 된 진한 에스프레소 커피처럼 항상 옆에 있어 감사하고 소중함을 모르지만 하루라도 커피를 안마시면 금단 현상이 오듯 남편 없이 하루도 못 살 거 같은 내 인생의 영원한 친구이다.

"남편! 감사합니다. 내 옆에 있어줘서."

4

바다

무탈하게 커 준 나의 아이들이 고맙고 사랑스럽다.

이 세상에 너와 내가 내 뱃속에서 만나 지금은 어느덧 성장의 과정을 겪으며 살아갈 고민들과 마주하는 나이가 되었구나.

너희들을 생각하면 끝없이 펼쳐진 푸른 바다가 떠오른다. 바다 위를 날아오르는 활기찬 날갯짓을 하는 바닷새들을 보니 더욱더 너희들이 간절히 생각이 나는구나.

갓 태어나 울며, 몰랑거리는 너의 몸이 닿을 때의 그 촉감이 지금도 잊히지가 않는구나.

내가 낳은 첫 아이, 내 뱃속에서 열 달을 같이 살다가 이 세상에 첫 발을 내디딘 너는 늠름하기까지 하더구나.

생명의 소중함과 탄생의 위대함까지 느꼈단다.

첫째와의 설렘을 조우한 뒤 만난 둘째는 신기함이었다.

다르게 생긴 외모와, 습성, 행동들, 작고 작아 부서질 것만 같은 모습은 새로움이 막 샘솟아내 맘속에 폭포가 되더구나.

그리고 나의 막내아들! 딸도 있고 아들도 있어봐야 한다던 어르신들의 말씀처럼 조그만 아기가 태어났을 뿐인데 엄마의 마음은 가득 차오르고 든든하더구나. 우리 아들이 듬직하게 커서 엄마 옆에 있어 줄 거라 생각하니 엄마는 천군만마를 얻은 기분이었단다.

각자의 생김새와 모습들은 닮은 듯 다른 삼남매였단다.

감성

파도가 밀려왔다 가듯이 너희들도 엄마 맘속에 들락날락하더구나. 아기 때 밤새 잠 한잠 못 자게 보챌 때는 너무 힘들어 지쳐 쓰러지다 가도 너희들의 곤히 잠든 모습은 다시금 엄마 얼굴에 환한 미소를 띠게 하지. 파도처럼 들락날락하며 엄마와 교감했지.

지금은 어느덧 성큼 자라 각자의 생활이 있고, 친구들과 어울리며 서로의 자리를 지켜나가는 너희들을 보니 파도가 쓸려나가듯이 엄마도 쓸려 보낸 거 같아 서운할 때도 있지만, 금세 다시 돌아오는 파도처럼, 바다처럼 엄마는 항상 너희들 곁을 지킬 거고, 너희들도 엄마를 바다라 생각해 주길 바라본다. 힘들 때면 언제든 파도 치는 바다를 찾아오렴. 엄마는 항상 그 자리에 있을 테니까.

"사랑한다. 내 아가들아~"

5
숲

사람은 두 번 태어난다고 한다. 한 번은 이 세상에 태어날 때이고, 또 한 번은 내가 이 세상에 왜 태어났는지를 깨달을 때라고 한다.

요즘 난 다시 태어난 듯이 하루가 신나고 즐겁고 기대된다.

"오늘은 또 어떤 새로운 일이 생길까!"
"오늘 읽을 책에선 또 어떤 내용이 있을까?"

아침에 눈 뜨는 게 행복해 본 적이 있는지 묻고 싶다. 자신의 가치를 벌써 깨닫고 앞으로 어떻게 살아야 나 답게 살 수 있을까를 궁금해하고 고민하고 답을 찾은 사람들은 이미 이 행복을 만끽하고 있을 것이다.

그렇지만 대다수의 사람들은 주어진 삶에 익숙해져서 편안하게 그냥 살던 대로의 그 삶을 포기 못하고 하루하루 버티며 살고 있을 것이다.

불과 몇 달 전만 해도 내가 그랬다.

나는 누구인가, 무엇을 하고 살아야 하는가, 어떻게 사는 것이 가치 있는 삶 인가를 고민하기 전까지의 내 삶이 그랬다. 아침에 눈떠 꾸역 꾸역 일어나 씻고 더 자고 싶은 몸을 일으켜 출근 준비를 한다. 얼굴엔 이미 짜증이 나 있으며 즐겁고 신나는 일이 하나도 없고, 나만 왜 이렇게 힘든 걸까! 남들은 다 즐거워 보이고, 행복해 보이는데 내 삶은 왜 이렇게 신나지 않는 걸까! 이런 생각들로 꽉 차있으니 출근 해서도 시간이 왜 이렇게 안 가는 거지, 한숨만 쉬며 소중한 하루를 그냥 흘려보냈다.

지친 기분 좀 풀어 보고자 주말엔 가끔 쇼핑도 하고 영화도 보고 여행도 한다. 기분 전환 차 새로운 운동도 시도해 본다. 그렇지만 딱 그때 뿐이다. 다시 일상으로 돌아오면 또 무한 반복이고, 도돌이표이다. 다람쥐 쳇바퀴 도는 걸 생각해 보았다. 다람쥐는 아무 생각이라도 없지, 나는 생각은 많고 뜻대로 되지는 않은 채 돌아가고 돌리고 있었다.

온몸은 굳어버리고, 머리도 지끈거리고, 잠도 잘 못 자고, 리듬이 깨져 살은 계속 찐다.

감성

이런 내 삶에서 살짝 왼팔 하나 꺼내 준 것이 바로 글쓰기이다. 그리고 독서로 오른팔도 꺼내주었다. 그리고 내 몸이 나올 수 있었던 건 작은 습관들이다.

내가 나를 알아가려고 노력했고, 내가 잘하는 게 뭘까를 고민해 보았다. 그 결과 나는 글쓰기를 좋아한다는 걸 알아냈고, 블로그에 글을 쓰기 시작했다.

온 시간을 글쓰기에 집중하기 시작하자 많은 변화들이 생겼다. 쓸데없이 낭비하는 시간들을 줄일 수 있게 되었다. 가장 눈에 띄게 줄어든 것은 직장 스트레스이다. 스트레스를 푼다고 삼삼오오 모여 떠들고, 술한잔하고, 그렇게 해야만 스트레스가 풀린다고 착각하고 살았다. 집에 다시 돌아오면 허무함을 느끼면서도 계속하여 반복된 같은 일상들을 보냈었다.

그러다 올해 초부터 본격적으로 글을 쓰고 블로그에 올리면서 글 쓰는 거에 시간을 쏟다 보니 자연스럽게 잡생각들은 할 시간도 없었고, 회사에서도 같은 상황이어도 예전 같으면 누구의 말 한마디에도 상처받고, 혼자 고민하고 했었을 텐데 이젠 그냥 저 사람은 왜 저런 얘길 하지, 저 사람은 저렇게 말하는 게 당연한 사람이지. 그냥 이해해 주게 되었다. 굳이 바꾸려 하지도, 대꾸하며 서로 얼굴 붉히며 할 필요가 없어진 거다. 그냥 그 사람은 저렇게 사는 거지 뭐….

다름을 받아들이게 되었다.

'이것이 무엇일까, 어디서 이런 기분이 생겨날까'를 고민해 보았다. 그건 바로 나를 사랑하는 데서 기인한다는 걸 알게 되었다. 글쓰기를 하며 나를 알게 되고, 나를 좀 더 잘 대해 주자고 다짐했다. '내가 나를 안 챙기면 누가 날 챙겨주고 알아준단 말인가.' 이런 생각들이 나를 기분 좋게 만들고, 사소한 일들은 그냥 넘겨버릴 수 있는 힘을 길러 준 것이다.

그리고 또 하나 나와의 약속들을 하면서부터다.

누가 시킨 것도 아니고 내가 나와의 약속을 만들었다. 이것을 지키고 행동하다 보면 습관이 되고 이젠 하지 않는 것이 이상할 정도가 되었다. '나도 할 수 있구나' 하는 성취감을 맛보고, 도전하게 만든다. 그만큼 나의 자존감은 올라가 있었다.

많은 학자들은 이렇게 말한다. 습관을 만드는 데 66일이 걸린다고. 또한 이런 말도 있다. 90일만 습관적으로 해보라. 그러면 당신은 평생 그 일을 할 수 있다고 말이다.

블로그에 글쓰기를 시작하면 서부터 독서도 꾸준히 할 수 있게 되었다. 습관을 들이고자 나와의 약속을 만들었다. 1년에 책 100권 읽기 프로젝트, 또 하나는 블로그에 매일 글 올리기. 그리고 감사 일기 쓰기, 아침 확언하기, 매일 운동하기이다.

3개월 동안은 어떤 일이 있어도 블로그에 1일 1포스팅 하려고 노력했으며 독서를 하고 나서는 꼭 리뷰를 올리려 하였다. 이는 나와의 약속이 무너질까 봐 만들어놓은 것이었다. 누구도 봐주지 않더라도 아웃풋을 통해 나에게 자극을 주고 촉매제로 활용하기 위해서다. 또한 혼자보다는 같이하고자 온라인 독서 모임도 가입해서 함께 책을 읽어나가고 인상 깊은 구절을 서로 나누며 내 삶에 어떻게 적용해야 할까를 서로 고민해 보는 시간도 가졌다.

지금은 숨 고르기 중이다.

감성

　매일은 아니어도 가끔 인상 깊은 독서 구절이나 영화 포스팅을 하고 있다. 독서는 매일 잠들기 전 읽고 있다. 내 일상에 글쓰기와 독서가 자연스럽게 녹아든 것을 느낀다. 다독보다는 정독을 하고 사색을 통해 책 속 저자의 생각들을 내 것으로 완전히 만들어야 함을 느낀다.

　요즘은 새롭게 나만의 규칙을 정한 게 있다. 아침에 눈 뜨면 가장 먼저 하는 일, 그리고 잠들기 전 꼭 하는 일, 그리고 퇴근 후 매일 하는 운동, 점심시간 틈을 이용하여 10분 걷기이다. 그리고 요즘은 '뭘 하면서 뭘 하기'로 시간을 두 배로 쓰려고 노력한다. 이는 장점이 많다. 그 중에서도 시간을 아낄 수 있으며 꼭 할 수밖에 없게 만든다는 것이다.

　가령 아침에 눈 떠서 가장 먼저 하는 일은 양치 후 요플레 메이커로 만들어놓은 요플레에 냉동실에서 꺼낸 과일(산딸기 또는 블루베리 또는 냉동 망고; 주로 계절 과일을 이용함)을 녹인다. 그사이 샤워하고 머리 말리면서 성경 책을 읽는다.(생각해보니 성경을 처음부터 끝까지 쭉 이어서 독서를 하지 않은 거 같아, 나만의 새로운 미션을 만들었다. 매일 5~10분 정도. 핸드폰으로 읽은 내용을 간단하게 메모한다. 현재 한 달 정도 지났는데 많은 진도가 나간 걸 보니 뿌듯하기도 하고, 꾸준한 시간의 힘을 다시 한번 느낀다.) 산딸기 요플레를 먹으면서 말이다. 성경을 읽으며 아침도 먹고 머리까지도 말릴 수 있어 나의 책 읽는 시간을 조금 더 늘릴 수가 있다. 그리고 아이들 등원하면서 나도 함께 출근을 한다. 가는 도중 신호등에 여러 번 걸리는데 그때마다 소설책 반 페이지, 또는 술술 읽히는 에세이를 읽는다. 이렇게 분 단위로 시간을 쪼개 쓸 수 있게 되었다. 잠들기 전 책 한 페이지는 꼭 읽는다. 한 페이지 읽는 건 어렵지 않다. 불과 2분 정도면 가능한 것이다. 그래야만 꾸준히 할 수 있다. 목표를 너무 크게 잡으면 분명 삼일 정도 지나면 지쳐서 아무것도 하지 않을게 뻔하다.

"완벽이라는건 오늘도 놓치지 않았다는 것이다."
"성공이라는건 내가 하고자 하는 일을 해냈을 때이다.
오늘도 나는 성공한다."

– <하와이 대저택> 유튜브 중에서

꾸준하게 하루도 빼먹지 않고 하는 것. 이것이 미래를 만드는 것임을 느끼는 요즘이다 '나중에 무엇이 될 거야'하면서 아무것도 하지 않고 그런 미래가 올 것이라 믿고, 오지 않을 미래만 목 놓아 기다리는 건 현실에 충실하지 못하게 만든다. 그리고 그 미래는 결코 오지 않는다. 지금 내가 무엇을 하고 있는 가가 전부이다. 미래에 대한 기대를 버리는 순간 당신에게 열정적일 수 있을 것이다.

그래서 난 오늘도 내 하루에 최선을 다할 것이다. 내가 할 수 있는 일, 좋아하는 일들을 찾아 나서야만 한다. 내가 나를 가장 잘 알고 있지 않은가. 내가 행복해야 내 주변 모두가 행복 해질 수가 있다.

내 옷장 속의 옷들이 그동안의 내 삶을 말해 주는 것 같다. 무채색의 나의 옷들은 나서기 싫어하고 남 눈치 보며 남들 하는 것과 비슷하게 살아온 나의 과거들 말이다.

내가 만족하고 스스로 찾아서 내가 나를 끌고 가는 삶, 결정은 빠르고 단호하게, 그 결정엔 최선을 다해야 한다. 그렇게 살아오지 못한 모든 결정들이 현재의 나이다.

이젠 내 옷장 속의 옷들을 핑크색으로 물들일 거다. 물론 모든 옷을 핑크로 사겠다는 건 아니다. 평소 입어 보고는 싶었지만 '내 나이가 있지. 이런 튀는색을…' 이렇게 떠나보냈던 옷도 기분 따라 입어보고, 남들 시선 신경 쓰지 않고 하고 싶은 대로 소신껏 잘 살 아나갈 것이다.

나는 지금 앞으로 열심히 나아가는 중이다. 큰 숲에서 나무 한 그루 심어놓고 초목이 우거지길 기대하진 않을 것이다. 나무 한 그 루 한 그루 땀 흘리며 심어가며 나를 성장시키고 나의 숲을 멋지게 가꾸어 나갈 거다. 때론 폭풍우가 몰아쳐도 따뜻한 햇살 내리쬐는 날이 더욱더 소중함을 느끼며 내 숲을 아름답게 가꿔나갈 것이다. 이 숲 속에서 내가 해야 하는 일은 무궁무진하겠지만 나의 숲을 가 꾸는 목적은 변함이 없을 거니까.

나의 숲은 언제나 빛날 것이기에.

에필로그

어느 날 보니 목에 주름이 생겨나기 시작했다. 그러고 보니 내 나이 벌써 마흔 중반을 넘어서고 있었다. 나는 똑같이 주어진 삶에 내던져 진 채 그냥 그 속에서 왔다 갔다 하는 사람일 뿐이었다. 영화 매트리스에서 깨어난 '네오'가 프로그래밍 된 삶 속에서 아무것도 모른 채 살아가고 있는 사람들을 쳐다보는 게 나인 것만 같아졌다. 그러던 삶 속에 한줄기 빛이 들어오고, 네오처럼 깨어나고 있는 나를 발견하게 되었다. 하루하루가 감사하고 나를 성장 시키고 싶어졌다. 내가 하고 싶은 것들을 배움을 통해 성장하고, 먼저 살다 간 철학자들의 사색들을 책을 읽으며 함께 느끼려고 하고 있다.

인간은 무엇으로 성장하는가. 어디에 가치를 두고 살아갈 것인가. 한번도 생각해보지 못했던 인생의 숙제들과 마주했다. 죽을 때까지 정답을 모를 수 있지만, 알아가고 싶어졌다. 지금 글을 쓰는 이 순간도 그걸 찾아가는 것이라 생각한다.

내 인생에서 반짝이며 빛나고 있었지만 내가 지나쳤던 것들, 여러 이유들로 그냥 살아가던 대로 살아가기를 선택했던 나에게서 말이다. 우린 모두 그것을 가지고 태어났다. 미처 깨닫지 못하고 살아가고 있을 뿐이다.

여기 있는나, 내 마음이 변했을 뿐이다. 내 마음은 나에게 계속 생각하도록 만든다. 사람은 누구나 생각하기를 힘들어 한다. 왜냐면 오롯이 나와 마주해야 하는데 그것이 싫고 버거운 일이니 말이다. 계속 미룬다. 어떻게든 핑계를 만들어내 나와 마주하는 것을 미룬다. 이런 나와 마주할 수 있게 하는 것이 나에겐 글쓰기이고 독서였다. 감사하고 성장하는 삶으로 가는 첫 단계라고 말하고 싶다.

아직 가야 할 길이 멀게만 느껴지고, 안개 속에서 허둥대고 있다해도 우리는 모두 처음이라 그런 것이다. 도전하고 실패하고 또다시 도전하는 삶을 살아가자. 그게 인생일 것이다. 인생의 정답은 없다. 내가 선택한 것이 내 인생의 정답이다. 선택한 나의 인생에서 성공하려면 나를 사랑하고, 오늘 하고자 했던 일을 하며 그 성취감으로 하루를 사는 것이다. 그것이 성공이다. 저 멀리서 나를 기다려 주고 있는 게 아니다. 내 옆에 항상 있는 것, 이것을 알아차리는 것, 이것이 곧 성공의 삶이다. 죽음의 문턱에서 돌아와 당신의 인생이 한번 더 주어졌다면 당신은 어떤 삶을 선택할 것인가? 우리 모두의 인생은 죽음을 향해 가고 있다는 걸 잊어서는 안된다. 한번 뿐인 내 인생의 주인은 바로 나다. 반짝이는 오늘의 주인공으로 살아가자.

목
련
니

아직 진화 중인 호모 오피스쿠스
- 중년 직장인이 포기 못한 개똥 철학 3가지

저는 어디에서나 윗상사의 [가신]으로 평가받았습니다. 물론 입안에 혀처럼 이물감 없는 [간신] 같은 존재는 아니었습니다. 그럼에도 가신으로 평가받았던 건 상사들의 영업전략, 중장기 전략 보고서를 도맡아 썼기 때문입니다. 말도 안 되는 지침을 그럴 듯하게 포장했기에 기획자라기보단 작가라고 불리었습니다. 그런 역할임에도 상사는 팀장으로의 추천에 왠지 물을 먹였고, 어렵게 팀장이 되었을 때는 선의의 마음으로 행동대장 역할을 자처했어도 임원 승진에서 상사는 진골 출신(여기서 진골이란 끌어주고, 밀어줄 직장 내 라인을 잘 탄 사람을 말합니다. 흔히들 공채 출신일 경우가 많죠)들을 추천했습니다. 다행히 이직을 통해 지금은 본부장을 모시고, 3명의 팀장을 코칭 하는 중견 간부의 역할을 하고 있습니다. 그러나, 상사에게 인정받는 것은 아직도 어려운 과제입니다.

저는 대학시절 학생회 회장을 하며 선망하던 리더십이 있었습니다. [함께 하는 변화], 그리고 그 변화를 주도하는 나 또한 변화 된다는 리더십에 대한 철학이었죠. 그래서 직장에서 팀장이 되었 을 때 그 철학을 적용해보려다 많은 시행 착오를 겪었습니다. 과한 열정으로 너무 몰아붙여 팀원들이 번아웃 되기도 하였습니다. 그 시행착오를 교훈 삼아 성장이라는 동기부여를 위해서 제 노하우를 코칭 하여 현업에서 같이 호흡을 하였습니다. 그러니 진심으로 따 르는 팀원들이 많아졌습니다. 그러나, 제가 윗상사와 사이가 멀어 지거나 조직 내에서 다른 팀장과의 헤게모니에서 밀려나기라도 하 면 팀원들도 저에게 신의를 보이지 않았습니다. 오히려 조직 내 다 른 헤게모니를 장악한 팀장 라인으로 옮겨 가기도 했습니다. 지금 은 다행히 3명의 팀장과 실원들과의 사이에 참 많은 소통을 하고 있습니다. 그러나, 제가 조직 내에서 위상이 낮아질 때 지금 팀장 과 실원들이 어떤 모습으로 변할 지 궁금한 것도 사실입니다.

혹자는 저에게 참 독특한 직장인이라고 합니다. 마치 아무리 숨기려고 주머니에 넣어도 삐져나오는 송곳 같은 존재라는 것이 죠. 원래 이 말은 낭중지추囊中之錐라는 사자성어로 뛰어난 재능을 지닌 사람을 뜻하는 칭찬입니다. 그러나, 직장 생활에서는 조직에 스며들 지 못하는 독특함을 비아냥거릴 때 쓰기도 하지요. 어디에 있어도 뾰족함에 삐져나오는 독특함이 오히려 직장 환경에서 비아 냥 거리가 된다는 것이 왠지 씁쓸했습니다. 그래서 전 독자들에게 확인 받고 싶습니다. 저의 개똥철학이 직장생활에 적용하기엔 너 무 독특한 건지, 아님 순수하기에 유지해야 하는 건지…이제 아직 진화 중인 호모 오피스쿠스가 직장 생활 중에 여러가지 에피소드 겪으며 품었던 질문을 통해서 깨닫게 된 개똥 철학 3가지를 소개 할까 합니다.

목려니

1
직장생활, 강호의 의리는 간데없고…

- 인간은 선 한가? 악 한가? 그 인문학적 고찰과 연관 지어서

예전 직장 중에 특별한 본부장이 한 명 있었습니다. 진골 출신은 아니고 경력직 본부장이었습니다. 그래서 우리는 그 본부장을 [반골 본부장]이라고 불렀었죠. 본부장님은 발령 후 바로 저의 팀장과 저를 대동하고 양평동의 허름한 닭도리탕 집으로 가자고 하였습니다. 요리가 나오는 데 보통 1시간 반 걸리는 닭도리탕 집에 가자는 것은 뭔가 있다는 것입니다. 긴장 속에서 요리를 기다리는 동안 생각보다 특별한 것 없는 본부장님이 살아온 얘기와 가끔가끔 내비치는 회사에서 하고 싶은 일에 대해서 얘기하며 농담을 주고받았습니다. 한참 후 닭도리탕이 나올 때쯤엔 처음의 긴장감도 어느 정도 가셔 있는 상태였습니다. 그러나, 첫 술을 뜰 때 가볍게 반골 본부장은 저에게 한마디 오더를 내렸습니다. "광고대행사 출신이니 내가 한 말 듣고서 우리 본부 전략 보고서 쓸 수 있겠지? 그래도 내가 한 말에 어느 정도 힌트가 있을 테니."

당했다고 생각했습니다. 이런 얘기는 회의실에서 각 잡고 들어도 정리될까 말까 하는 오더인데 말이죠. 그러나, 막막했지만 막상 쓰려고 하니 본부장님 말 속에 정말 힌트가 곳곳에 있더군요. 저는 3일 후 표지 포함 11 페이지 보고서를 가지고 본부장님과 회의를 하였습니다. 쭉 한 흐름으로 읽어 보시더니 이대로 하면 될 것 같다고 하셨습니다. 한 시름 놓았죠. 전략 보고까지 남은 3일을 날 밤 샐 각오를 하고 있었거든요. 이렇게 중요한 회의 자료 준비

를 편하게 마무리 한 경우는 다른 본부장에게선 경험해 보지 못했었죠. 그런데, 저를 더욱 놀라게 한 것은 그 보고 당일 본부장님의 발표 내용이었습니다.

전 광고대행사 시절부터 기획서를 쓸 때 제가 프레젠테이션을 한다고 생각하고 정리를 하였습니다. 그러니 그 보고서로 어떤 내용을 발표할지 시나리오가 있게 마련입니다. 그러나, 반골 본부장은 저와 전혀 다른 시나리오로 발표를 하고 있었습니다. 더욱 충격적인 건 그런 완전히 다른 시나리오의 발표와 저의 보고서 내용이 절묘하게 맞아 떨어진다는 것입니다. 결국 제 보고서는 단지 거들 뿐 본부장님의 원래 생각을 그대로 발표하고 계신 것이었습니다. 참으로 똑똑한 상사였습니다. 항상 이런 똑똑한 상사를 모시고 싶었습니다. 직장에선 자기 철학과 생각 없이 밑에 사람의 고혈만 빨아먹는 상사가 대부분이거든요.

그런데 그 본부장님은 라인을 잘못 타서, 아니 타지 않아서 능력과 상관없이 좌천되고 말았습니다. 정말 우리들이 부른 별명 그대로 반골로 찍혀 좌천된 것이었죠. 인사팀과의 면담에서 본부장님을 변호할 기회가 있었습니다. 그러나 제가 항상 모시고 싶었던 상사였지만 굳이 모험을 감수하고 싶지 않았습니다. 다른 본부장 부임 후 저는 예전, 평상시와 같이 사소한 보고서에 날 밤을 세는 그런 소모적인 날들을 보낼 수밖에 없었습니다.

왜 이런 똑똑한 반골들은 조직에서 인정을 받지 못했을까요? 오히려 라인 잘 탄 능력 없는 진골들이 왜 승승장구하는 걸까요? 본부장님이 가장 역량 있다고 느끼고 있는 저 역시 본부장님을 변호하며 의리를 지키지 못했을까요?

폭려니

저보다 나이 한 살 정도 많지만 무척이나 듬직했던 팀장이 있었습니다. 파트너사와 협상할 때 어려운 일이 있으면 뒷배도 되어주고, 후임과 저 사이에서 저를 이인자로 많이 치켜 세워주기도 했습니다. 그리고 제가 승진에서 물먹거나, 팀장 후보로 올릴 때 임원들의 반대가 심하다고 위로주 한잔 거하게 사기도 했습니다. 그술 자리에서 구차한 변명보다 미안하다는 말을 해줄 때 오히려 위안이 되기도 했습니다. 그러다 좋은 기회에 이직을 할 기회가 생겼습니다. 팀장 직급으로 이직을 하는 거니, 기존 팀장과 팀원들도 축하를 해주었습니다.

워낙 오지랖 넓은 저 인지라 팀과의 송별회가 끝나고, 각종 유관부서에서 저와 친한 동료, 선배, 후배들을 불러 다 함께 하는 송별회도 하게 되었습니다. 그 자리에서 한참 즐겁게 분위기가 무르익었을 때, 저와 유난히 친했던 카운트파트너 부서인 과장에게 우리 팀장에 대한 고마움을 취기 어리게 표현하였습니다. 그러나 그과장이 말한 한마디에 철퇴를 맞은 듯 잠시 멍 해졌습니다.

"그래? 내 생각엔 그 팀장이 널 견제하는 것 같던데? 팀장 깜냥이 안된다고 뒷담화까더라고."

지금까지 내가 느끼고 고마워했던 팀장은 뭘까요? 그리고, 왜 이런 확인되지 않은 말 한마디에 제가 이렇게 흔들렸던 걸까요? 그게 만약 사실이라면 여태껏 같이 해왔던 팀장과의 관계에서 변하는 건 뭘까요?

제가 여러 팀장과 함께 하던 조직장 시절 어느 팀장회의에서 사소한 논쟁이 있었습니다.

"아 글쎄, MZ 세대는 성장을 원하지 않는다니까요. 그런 동기부여로는 움직여지지 않습니다."

전 단호하게 그 팀장에게 얘기했습니다. 그런 팀원에 대한 단정이 오히려 성장을 이끌어 내지 못하는 원인이 된다고요. 리더가 내리는 그러한 편견이 팀원에게 얼마나 부정적인 영향을 주는 줄 아느냐라고 반문하였습니다. 왠지 토론 아닌 토론으로 결론 없이 끝을 맺게 되었습니다

제가 이런 단호한 반문을 한 이유는 실제 저의 팀원 육성 방법에 철학이 있었기 때문입니다. 다른 조직에서 있다가 우리 조직으로 전배 되었던 팀원이 한 명 있었습니다. 전 조직에서 할인 쿠폰 발행 단순 실무를 맡고 있던 인원이었습니다. 그러나, 제가 보기엔 마인드도 괜찮고 일에 대한 프로세스를 효율적으로 만들려고 다양한 시도를 하는 모습이 보기 좋았습니다. 이에 우리 조직에선 그 팀원에게 쿠폰 발행 업무를 중심으로 전반적인 프로모션 기획의 중심이 되게 업무를 부여했습니다. 자연스럽게 그 팀원을 중심으로 다른 팀원이 협조를 구하고 논의를 할 수 있는 체제가 되었고, 그 팀원이 중심이 된 업무들이 생기기 시작했습니다.

여기에 자주 개인적인 자리(물론 술자리)도 가지며 인생 상담도 하고, 누구보다도 차기 팀장으로서 키우고 있다는 믿음과 너의 성장에 도움을 주겠다는 비전을 제시해 주기도 하였습니다. 그래서, 그 팀원을 사석에서는 차기 팀장급이라며 박씨 성이지만 [차팀장]이라고 농담 삼아 부르곤 했습니다. 이런 농담에 멋쩍어 하면서도

그 팀원, [차팀장]은 과히 부담스럽게 생각하지 않는 투였습니다. 제 스스로 그의 좋은 역량을 끌어내어 팀원의 발전을 위해 참 보람 찬 일을 했구나 자부하기도 하였습니다.

그러던 어느 날 그 팀원이 소속된 팀장이 복도에서 잠시 얘기를 하자고 하였습니다. 보통은 팀원이 퇴직 면담을 할 때 이런 패턴입니다. 항상 슬픈 예감은 적중했습니다. 팀뿐 아니라 실 전체에서도 중요한 역할을 하던 그 팀원, [차팀장]이 퇴직한다는 것이었습니다. 퇴직 면담을 하면서 설득해보려 했으나 그 팀원의 묵직한 한방에 말문이 막혔습니다.

"연봉 20% 올리고, 대기업으로 갑니다. 실장님 2주 후에 거기 출근해야 해요. 그냥 놓아주세요."

제가 그 팀원과 나눈 동기부여는 진짜 그다지 중요한 것이 아니었을까요? 정말 연봉과 회사의 규모보다 제가 제시한 비전은 큰 의미가 없었던 걸까요? 결국 제가 끌어 내었던 그의 발전은 그가 정말로 원했던 것이 아니었을까요?

이 세가지 에피소드를 관통하는 질문은 직장 생활 속에서 사람을 믿을 수 있냐는 것입니다. 치열한 직장 내 정치 속에서 살아 남기 위해서는 그 사람 자체의 실력만은 크게 믿을 만한 게 아닌 것 같습니다. 흑심을 품고 저를 이용하는 사람을 분별하기가 여간 어려운 게 아닙니다. 선의의 행동으로 사람을 챙겨줘도 세상의 물욕 앞에서는 항상 선택은 정해져 있더군요. 정글 같은 비즈니스에서 사람이 선하다고 믿는 것은 단지 이상 같아 보입니다.

실제로 현생 인류의 기원에서 살펴보면 오스트랄로피테쿠스부터 네안데르탈인에 이르기까지 다양한 현생 인류는 한동안 여러 종이 지속 공존해 왔다고 합니다. 그러나, 호모사피엔스가 나오면서 이 여러 종들은 싹 그리 멸종됩니다. 호모사피엔스가 다양한 방법으로 다른 종을 정복하고 멸살 시켜 버렸기 때문입니다. 우리 인간의 DNA에는 이렇게 잔인한 습성이 남아있는 것은 필연인 듯합니다. 그래서 철학계에서는 "인간은 선 한가? 악 한가?"라는 화두에서 '악하다'라는 주장이 더 힘을 발휘하고 있습니다. 네덜란드의 동물학자 프란스 드 발은 [껍데기 이론]이라는 것을 통해 현재 사회에서 인간 사회의 선함은 도덕과 규범이라는 껍데기에 싸여서 보호될 뿐, 그 껍데기가 깨지는 순간 악한 본성이 드러날 수밖에 없다는 주장을 합니다.

인간 본성의 민낯을 보여주는 실험이 있습니다. 스탠리 밀그램의 [전기 충격 실험] 이었습니다. 실험은 아래와 같습니다. 평범한 사람 40명을 모아 역할을 부여합니다. 칸막이 뒤의 학생이 문제를 못 풀면 15볼트에서 450볼트까지의 전기 충격을 징벌로 주라는 것입니다. 그 징벌을 행할 때마다 4.5불 사례를 지불하기로 합니다. 그리고 추가로 더 조건을 줍니다. 징벌은 반드시 해야 하며, 문제를 틀릴 때 마다 점점 450볼트까지 올려가야 한다고요. 그리고 다른 선택지는 없다고 강요를 합니다. 물론 뒤에서 징벌을 받는 학생은 실제 전기 충격을 받지 않고 고통을 연기하는 사람이란 것을 실험자들은 모릅니다. 볼트를 올릴수록 연기자들의 비명은 더욱 커져 갔음으로 450볼트까지 충격을 주면 어떤 결과가 생길 지 실험자들은 짐작할 수 있었습니다.

스탠리 밀그램은 5% 미만의 사람이 450볼트까지 올릴 것이라고 예측했습니다. 그러나 실험 결과는 충격적이었습니다. 무려 65% 사람이 학생의 고통을 알면서도 450볼트까지 올리는 결과를 가져옵니다. 단지 4.5불의 사례와 학생을 직접 보지 않는다는 상황, 그리고 다른 선택지가 없다는 강요만으로 이런 악한 행동을 서슴지 않고 해낸다는 것입니다. 약간의 물욕을 채워주고, 핑계가 될 수 있는 과학자의 권위로 내려진 강요가 있다면 다른 사람의 희생은 아랑곳하지 않고 자기 이득을 챙길 수 있다는 결론입니다. 마치 나치 전범인 아이히만이 "나는 단지 명령에 따랐을 뿐"이라고 변명한 것과 같은 맥락입니다. 정말 인간은 껍데기가 벗겨지는 순간 자신의 악함을 드러낼 수밖에 없는 존재일까요? 결국 전쟁 같은 비즈니스 환경에서는 강호의 의리는 간데없고, 생존을 위한 냉혹한 각자도생만이 필요한 걸까요?

전 위의 실험에서 다른 측면을 바라보았습니다. 65%의 실험자와 다른 선택을 한 35%의 사람들이죠. 이들은 과학자들이 전제로 한 징벌 외에는 다른 선택지가 없다는 강요를 거부했습니다. 보이진 않지만 학생의 비명을 외면하지 않았습니다. 징벌할 때마다 주어지는 4.5불보다 더 숭고한 가치가 있다고 생각했습니다. 비록 껍데기 일진 모르지만 자신이 살아오면서 알게 된 선함이란 가치에 더 큰 무게를 두며 당당하게 행동으로 옮겼습니다. 그렇습니다. 전 65%보단 적지만 절대로 0%가 아닌 35%에 믿음을 가져보려 합니다.

냉혹한 직장 생활에서 65%는 선의보다는 악의로 자기 자신만의 생존을 지켜야 하는 상황이 더 많을 것입니다. 그러나, 우리가 끝까지 잃지 않고 지켜야 할 선함이 있다면 적어도 35%는 우리의 선함이 통하고 인정받는 환경 또한 존재할 것 입니다. 왜냐하면 우리와 함께 할 그런 선한 사람이 35%는 존재하기 때문입니다. 그러기 위해서 우린 자기 자신에게 더 당당해야 합니다. 다른 사람과의 관계에서 지켜야 하는 [자존심]이 아니라 나 스스로 떳떳한 [자존감]을 키워야 합니다. 그러나, 덩그러니 나 혼자서는 이런 자존감을 지키기 어렵습니다. 우리가 자존감을 지켜 나가야 할 상대는 거대한 비즈니스 조직이자 효율성만을 강조하는 사회 통념이기 때문입니다.

나 혼자 상대하는 것이 아닌, 서로 이런 철학을 공감하는 사람끼리 연대해야 합니다. 비록 좌천당하였지만 똑똑하고 정말 제가 신뢰하고 싶었던 반골 본부장님과 저는 연대해야 했습니다. 흑심을 품고 절 이용했던 팀장이나 저의 비전보다 연봉과 회사 규모가 더 중요하다고 생각한 차팀장에게 배신감을 느끼며 자존심을 상해하지 말았어야 했습니다. 오히려 항상 듬직하다고 생각했던 그 관계 그대로 그 팀장에게 고마워해야 하고, 차팀장에게 제시한 내 비전이 충실하지 못했다고 생각하며 내 자신을 갈고 닦아야 합니다. 그게 자존심이 아닌 자존감을 키워가는 방법이라고 생각합니다.

"결국 강호의 의리는 다른 사람에게 바랄 게 아니라 내 스스로가 지켜 나가야 하는 것입니다."

2
직장생활, 아픈 것은 죄악이야.

- "공공의 선"과 "개인의 자유" 중 어느 것이 중요한가?라는 딜레마를 생각하며

마케팅 조직에서 대리점을 상대하던 경험이 있습니다. 일반 소비자를 대상으로 하는 마케팅과는 전혀 다른 측면에서 업무를 진행해야 했습니다. 일단 대리점을 상대하는 영업들의 민원을 해결하는 일이 대부분이었습니다. 대리점 오픈 하는 데 홍보물 제작 및 지원을 해달라, 이번에 이 지역에서 대량 발주가 들어가는 데 마케팅이 유관 부서에 대신 얘기해서 일정 잡는 데 문제없게 해달라 등등. 영업이 강한 조직이다 보니 "안되면 되게 하라"라는 풍조 속에서 영업은 대리점 사장을 상대하는 데 집중하게 하고 다른 데 신경 쓰지 않게 마케팅 조직이 이런 제반 사항을 지원해 주며 해결하는 것이 주 업무였습니다. 그러다 보니 팀원들은 불만이 많았죠.

일부 안하무인 격인 영업의 무조건적인 민원 요청에 지쳐 했습니다. 잘한 성과는 영업의 몫이 되고 못한 일은 마케팅이 지원을 못해서 그런 다는 질타에 시달렸습니다. 항상 성과급을 챙기는 영업에 비해서 자신들은 지원만 하는 부속품이라고 느끼며 상대적 박탈감을 갖는 경우도 있었습니다. 팀장으로서 이런 팀원들의 불만을 무마하기 위해 전 오히려 다른 방법을 선택했습니다. 적극적으로 영업에게 역 제안을 하며 단순 지원이 아니라 새로운 대리점 정책을 제시하였습니다.

　모든 지역 상권에 일관적인 지원책이 아닌 각 지역의 현황을 파악하여 각각 지역에 맞는 지원책을 품을 받아서 영업에게 제시했습니다. 이를 설명하기 위해 각 지역 상권 마다 출장 가서 대리점 주를 모아 놓고 설명하는 회의도 저희 마케팅이 직접 진행하였습니다. 이런 지역 상권의 현황을 파악하기 위해 대리점과 직접적인 소통을 하라고 업무 지시를 내렸습니다. 그걸 적용하기 위한 지원 정책을 마련하기 위해 워크샵의 형태로 자기 스스로 새로운 정책을 만들어 보게 독려도 하였습니다. 지방을 돌아다니며 설명회를 할 때 실무자를 대동하며 현장의 분위기를 같이 느끼게 하기도 했습니다. 이런 일련의 과정에서 팀원들의 상대적 박탈감도 서서히 무마되어 가는 듯했습니다. 여기에 더 얹어서 또 다른 기회도 찾아왔고, 이 기회를 통해 저는 우리 마케팅 조직을 더욱 주도적인 조직으로 자리 매김 하고 싶었습니다. 팀원 한 명 한 명도 그런 자리 매김에 변화를 느끼게 하고 싶었습니다.

　그 기회는 바로 [해장국 미팅]이라는 사업부서장의 제안이었습니다. 요지는 요즘 같은 어려운 시기 아침 7시 대리점 근처의 해장국 집에서 대리점 사장과 대리점 직원들과 함께 영업과 마케팅 인원이 같이 참여하는 목표달성회의를 한달 간 매일 진행해보자는 것이었습니다. 이를 통해 본사와 대리점이 같이 현장에서 호흡한다는 분위기를 만들자는 것이죠. 제 생각엔 이 기회는 단순 지원이 아닌 적극적인 현장과 호흡을 하는 마케팅으로 완전히 자리 잡을 수 있는 기회라고 생각했습니다. 그게 우리 조직 내부뿐 아니라 대리점 사장에게도 인식시킬 수 있는 기회라고 생각했습니다. 이게 우리 팀원들 한 명 한 명이 자신들의 자부심을 가질 수 있는 기회라고 생각했습니다.

독려니

팀원들과 이런 기회를 될 수 있다고 설명하였습니다. 저는 팀원들이 찾아가야 할 대리점의 지역과 각 팀원이 사는 집까지 고려해서 순번을 정하였습니다. 팀장인 저는 한달 간 매일 해장국 미팅에 참여하고 팀원들은 1주일에 2회 정도 4주간 참여할 수 있게 스케줄을 만들고 바로 시행을 했습니다. 딱 진행한 지 3일 후 경영본부장님의 호출이 있었습니다. 보통은 마케팅 예산 조정 시 호출하니 삭감 안 당하기 위해 만반의 준비를 하고 방 앞에서 노크를 하고 들어갔습니다.

"해장국 미팅에 대해서 팀원 투서가 들어왔어. 새벽에 출근해야 하는 건데 좀 강압적인 일정이었다는 거지. 앞으로는 자네만 그 일정에 참여하는 게 좋겠어."

팀의 위상을 높이는 것보다 일주일에 2일 정도 새벽에 출근하는 게 더 큰 불만이었을까요? 아니 제가 팀원들의 개인사를 더 배려하는 소통이 부족했던 걸까요? 이 기회가 무산되면 마케팅 조직의 위상이 더 실추될 수 있다는 것을 팀원들이 공감하게 제가 충분히 설득하지 못한 걸까요?

전 이직을 준비하는 후배에게 꼭 비추하는 회사가 있습니다. 어떤 직종을 불구하고 [당대에 자수성가한 오너가 있는 중견 회사]는 꼭 피해가라는 것이었습니다. 예전 직장에서의 끔찍한 경험 때문이죠. 진짜 끔찍한 경험이었습니다. 제가 이 회사의 마케팅 실장 평균 근속연수를 높이고 왔는데 그 수치가 0.3년에서 0.5년으로 늘린 것이죠. 맞습니다. 마케팅 실장이 평균 머무는 기간이 4개월인데 제가 6개월을 버티고 퇴직하였습니다.

    그럼에도 불구하고 저는 이 회사 회장님의 업계에 대한 비전과 진심을 믿습니다. 그런 비전과 진심이 이 회사를 성장시키고 더 많은 고용을 창출하였으니 사회에 기여를 하신 건 인정해야 한다고 생각합니다. 더군다나 회사뿐 아니라 업계 전체를 발전시키기 위해 대외 활동까지 활발하게 하고 계시니 이 또한 인정할 만합니다. 그래도 회사에서 일하는 밑에 사람들은 그걸 따라가기 너무 벅찬 게 사실입니다.

    저에게도 주말, 새벽, 밤늦게 본인이 생각하는 아이디어가 있다면 언제든지 전화를 하셨습니다. 항상 회장님은 머리 속에 회사를 위한 생각뿐이고, 회사 전반에 아이디어가 있으시니 마케팅에 대한 아이디어는 간직해 두지 않고 그때 그때 전달해야 하셨겠죠. 그러니 저도 당연히 이런 회장님의 전화를 놓치지 않기 위해 그 시기는 하루 24시간이 스탠바이 상태여야 했습니다. 그 압박감과 긴장감이란 대단한 것이었죠.

    회사의 일을 자기 일처럼 생각하시고 몸을 돌보시지 않으니, 모든 의사 결정에 회장님께서 참여하시고 회의를 주관하였습니다. 그래서 마케팅의 모든 업무 또한 수기 품의를 통해 직접 보고받고 의사결정을 하셨습니다. 마케팅 업무라는 것이 데드라인이 있는 일이나 이 회사에서는 회장님께 의사결정을 안 받고 제가 그냥 진행할 수 없는 상황이었습니다. 그러니 그 데드라인 하루 전날까지 회장님의 다른 회의가 끝나기를 기다리며, 밤 11시가 넘어서 겨우 대면 보고 후에 수기 품의를 받고서 야 일을 업체에 넘긴 적도 많았습니다. 책임 있는 직장인이라면 이런 고생은 감내할 수 있는 거라 생각했습니다. 그러나, 6개월을 못 버티고 회의가 들게 한 계기는 아주 사소한 것이었습니다.

목려니

6개월 전부터 준비했던 가족 여행이 있었습니다. 그러나, 어느 리조트에 이 회사가 오픈하는 행사가 있어서 모든 임원이 출동하여 일종에 회장님 영전을 해야 하는 시기와 겹치게 되었습니다. 회장님이 왕림하니 이 일정에서 빠진다는 건 상상할 수 없는 상황이었습니다. 가족들에겐 양해를 구하고 이 일정에 참여하였습니다. 당연하다고 생각하고 가족들에게도 별로 미안해하지 않았습니다. 가족들도 저의 상황을 알기에 그다지 서운해하지도 않았습니다. 그다음 월요일 날에 주말의 좀 무리한 일정 때문인지 아님 미안하지도 서운하지도 않았지만 가족 여행을 못 간 정신적 스트레스 때문인지 모르겠지만 몸이 너무 안 좋아서 출근을 못할 정도의 상황이었습니다. 임원의 연차는 회장님의 승인을 꼭 받아야 하는 것이기에 떨리는 목소리로 이른 아침 전화하여 연차를 요청드렸습니다. 승인해 주시며 한마디 덧붙이시더군요

"직장인이 아픈 건 죄악이야. 하루의 부재가 주변 사람들을 얼마나 힘들게 하는 줄 아나?"

제가 어디까지 제 개인 생활을 희생해야 회장님께서는 만족하실 수 있었을까요? 직장 생활의 발전이 제 개인의 발전이라고 느끼기 위해서 제가 어디까지 감수해야 하는 걸까요? 그리고 회사는 이런 개인의 희생을 단지 승진과 연봉 인상으로 보상해 줄 수 있는 걸까요?

위의 에피소드들은 직장 생활 중 회사 전체의 업무와 내 개인의 삶 속에서 항상 선택을 해야만 하는 상황을 표현한 것입니다. 직장인은 본인의 삶 속에서 절반 이상의 비중을 직장 생활로 채우

고 있기에 직장의 발전이 개인의 발전이라는 말이 무색하지 않습니다. 그러나, 최근에 워라밸이라는 개념이 등장하며 절반의 또 다른 삶인 개인 생활의 관심도 많아진 것 같습니다. 나머지 절반의 삶도 중요하며 그 균형감을 회사와 사회 전반에서 챙겨줘야 한다는 것이죠.

이 워라밸에 대한 요구가 마치 젊은 직장인만이 요구하고 중년 직장 꼰대는 포기하는 것처럼 인식하고 있는데 꼭 그렇지만은 않습니다. 중년 직장 꼰대인 저도 어떨 때는 조직원들에게 워라밸보다 회사 전체의 이익을 바라봐야 한다고 설득시켜야 하기도 하지만 저도 이 흐름에 편승하여 제 개인의 삶을 챙기고도 싶습니다. 이렇듯 철학, 인문학에서도 공공의 선과 개인의 자유 중 어느 것이 더 중요한가는 끊임없이 논쟁되고 있는 주제이기도 합니다.

저는 공공의 선이건, 개인의 자유이건 한가지만 선택해야 하는 흑백논리를 얘기하고 싶지 않습니다. 또한 두 견해의 나쁜 영향을 강조하여 양비론으로 접근하며 다 나쁘다고 하는 것도 경계해야 한다고 생각합니다. 오히려 제가 접근하는 것은 두 사상의 경고에서 발견한 다른 측면의 질문입니다. 게랄트 휘터가 쓴 [존엄하게 산다는 것]이라는 책에는 "타인의 존엄을 해치는 것은 결국 자신의 존엄을 해치는 것이 아닐까?" 라는 질문이 있습니다. 이 책에선 소개되고 있지 않지만 이 질문의 맥락은 아리스토텔레스가 얘기했던 [테오리아]라는 개념과 이어집니다. 즉 진리에 접근하기 위해선 "자기 자신을 생각하며 자기 주변의 것에 마음을 열고 받아들여야 한다"라는 것이죠. 얼핏 공공의 선과 개인의 자유는 양립할 수 없는 대척점을 가지고 있는 듯 보이지만, [타인의 존엄에 대한 존중]과 [자기 주변에 마음을 여는 것]으로 충분히 양립할 수 있다는 해결점을 찾을 수 있지 않을까요? 저는 이 맥락에서 공공의 선과 개인의 자유에 대해 각각 다른 의문을 던지고 싶습니다.

공공의 선을 논하기 전에 소수의 존엄을 해치는 것이 아닌가 하는 의문을 반드시 거쳐야 합니다. 이 사회는 각 개인의 합이지 다수의 횡포가 당연시돼서는 안되기 때문입니다. 인간은 그 자체로서 존중받아야 하는 소중한 가치를 가지고 있는 존재이며 그 가치는 수치화 할 수 있는 대상이 아니기 때문입니다. 이런 것이 고려되지 않는다면 공공의 선은 결과와 목적만을 위해 수단을 정당화 할 수 있습니다. 극단적인 예로 [미뇨네트호 사건]처럼 망망대해에서 다수의 사람이 살아남기 위해 부상 당한 사람을 먹어야는 상황 또한 정당화 될 수 있는 것입니다. 다수의 생존이라는 공공의 선을 위해 과연 한 사람의 희생이 정당화될 수 있을까요?

개인의 자유를 최우선으로 보장하기에 앞서 자신과 함께 해야 할 주변 사람의 자유를 해치지 않는가 하는 의문도 꼭 살펴야 합니다. 이 사회는 각 개인의 합이지 각 개인만을 위해 존재하지는 않기 때문입니다. 다른 타인의 고려없이 나 자신의 자유만을 중요 시 하다 보면 결과적으로 그 자유는 일부 승자만이 독식하는 사회가 당연 시 되는 명분이 되어 버립니다. 시작부터 다른 금수저 자유 때문에 사다리를 걷어 차인 흙수저 자유는 기회를 잃어버릴 수 밖에 없을 겁니다. 과연 우리 개인 한명이 스스로 일군 성과가 그 사람 하나만의 역량으로 발전시킨 것일까요? 사회 각 구성원, 내 주변 사람의 도움에 의한 것은 아닐까요?

이는 항상 효율을 생각하고 성공을 위해 발버둥쳐야 하는 비지니스 환경에서도 반드시 살펴봐야할 부분이라고 생각합니다. 제가 마케팅 조직의 위상을 높이자는 큰 명분을 설득하기에 앞서 경기도 인근 멀리서 출근하는 제 팀원들의 고충을 헤아렸어야 했습니다. 회장님의 열정과 회사에 대한 우려에 앞서 이러한 개인의 희생에 대한 요구가 과연 회사 전체를 위했던 것인지 아님 오너 한 개인의 욕심 때문이었는지 회장님 스스로 가슴에 손을 얹고 돌아봐야 했던 것이었습니다.

이러한 내 주변의 다른 이에 대해 먼저 살펴보는 시작이 오히려 더 제가 설득하려 했던 마케팅 조직의 위상을 높일 수 있는 방법이 되었을 것입니다. 회장님 자신의 열정보다 다른 직원들의 개인적인 삶까지 배려하는 마음이 그 회장님의 진심을 진정으로 따르게 하는 리더쉽이 되었을 것입니다. 이런 방향이 즉시 결과가 나오지 않으니 멀리 돌아가는 일이고 비즈니스적으로 [효율적]이지 못한 일 같아 보입니다. 하지만 나와 함께하는 타인의 마음을 움직이기에 더 [효과적]인 방법으로 더 비즈니스적일 수 있다고 생각합니다. 비즈니스의 가장 큰 자산은 수행한 결과가 아니라 수행한 사람이기 때문입니다.

"결국 조직이든, 개인의 자유를 위한 것이든 먼저 살펴야 할 것은 내 주변의 사람입니다."

3
직장 생활, 떠날 때는 말없이?

- 생존하기 위해 두려움과 희망 중 무엇이 효과적인가를 고민
하며

저는 마케팅 조직 외에도 1등 브랜드사에서 홈쇼핑 채널의 영
업을 하며 매출을 책임지는 역할도 해보았습니다. 해당 상품군에
서는 그 브랜드가 독보적이었기에 홈쇼핑 MD들과 영업하는 데 큰
어려움이 없었습니다. 오히려 갑 중에 갑인 홈쇼핑 MD들에게 당
당한 영업을 하며 서로 다른 홈쇼핑 채널끼리 경쟁을 붙이고 우리
에게 유리한 조건을 끌어내기까지 하였습니다. 그러던 중 1등 브
랜드사는 본인들의 독보적인 브랜드 위상을 활용하여 자신들과 동
떨어진 상품군에 신상품을 출시하는 프로젝트를 진행했습니다.

기존 상품군에서 만족한 소비자가 당연히 신규 상품군의 브랜
드 또한 만족할 거란 노림 수였죠. 그리고 저에겐 이 신규 상품을
홈쇼핑에 성공적으로 런칭하여 월 50억의 매출 규모로 성장시키
라는 오더가 부여되었습니다. 저도 좀 쉽게 생각하였었던 거 같습
니다. 기존 홈쇼핑 MD에게도 우월적인 위치에서 영업을 하였으니
새로운 상품 담당의 홈쇼핑 MD에게도 당당하게 요구하며 런칭을
추진했습니다. 울며 겨자 먹기로 어쩔 수 없이 런칭을 수용했던 새
로운 홈쇼핑 MD들은 첫 런칭이 실패하자 가차 없이 우리를 외면
하였습니다. 우월한 시장적 지위를 이용하고 MD와 고객에게도 오
만 했던 우리의 모습에서 당연한 결과였을지 모릅니다.

이 다음부턴 저는 회사의 프로젝트를 수행하기 위해 예전과는 다르게 을 중에 을, 영업을 하며 재도전을 위해 홈쇼핑 MD를 구슬리기에 여념이 없었습니다. 그러나 여전히 1등 브랜드의 위상을 자신하고 있던 임원진들은 매주 있는 업무 점검 회의에서 진척 사항이 더딘 것에 엄청난 압박을 가하였습니다. 더군다나 예전엔 당당하던 영업 방식이 왜 이렇게 퍼주며 홈쇼핑 MD의 비위를 맞춰야 하는지에 대해서 이해를 못하고 질타를 하였습니다.

매주 정해진 목표를 하지 못하면 다음주 월요일 새벽 5시에 일종에 [징벌적 새벽 회의]를 하며 이런 회의를 하기 싫으면 주차 별 목표를 달성하라고 압박하였습니다. 이런 압박에 대한 두려움과 그 무거웠던 회의 분위기를 아직도 가끔 생각하면 몸서리가 쳐집니다. 아무튼 그런 압박이 자극이 되긴 하였나 봅니다. 결국 첫 런칭의 참패에도 불구하고 재도전을 할 수 있게 되었습니다. 다른 홈쇼핑사에서는 기존 홈쇼핑 MD에게 신규 홈쇼핑 MD를 소개받아 2차 런칭까지 추진 할 수 있었습니다.

그런 노력에도 임원진들이 업무점검회의에서 끝까지 물고 늘어지는 것은 월 50억은 언제 달성하냐는 것이었습니다. 이러한 압박의 두려움에 그것을 달성하기 위해 고전분투 하며 업무 스트레스로 얼굴 빛이 흑색이 되어 가던 어느 날, 제 위의 이사님이 저의 고민을 듣더니 한마디 하셨습니다.

"네가 생각하기엔 임원진이 네 목표를 달성 못하는 걸로 매일매일 어떻게 갈구지 하루 종일 생각 할 것 같아? 이 사람들은 그냥 회의 석상에서만 닦달하고 끝내는 거야. 오히려 매일매일 시달리며 그 두려움에 힘들어 하는 것은 너 혼자일 뿐이야."

목려니

그 프로젝트를 수행하려는 제 노력의 원동력은 성과에 대한 보람이었을까요? 아님 임원진들의 압박이었을까요? 그 압박에 대한 두려움은 임원진들을 통해서 나온 것일까요? 아님 거기에 얽매였던 제 자신에서 나온 것일까요? 결국 두려움, 공포가 제 회사 생활에 어떤 영향을 끼쳤을까요?

제 조직 생활 중에는 원맨팀으로 시작한 적도 있었습니다. 새로 옮긴 회사에서 협력사에게 일임했던 업무를 서서히 본사 업무로 돌리고 싶어서 저를 영입하였고, 일단 혼자 입사하여 협력사를 정리하면서 조직을 새로 세팅해야 했습니다. 우선 저는 전 직장에서 일 머리 좋았던 신입 급 직원을 설득하여 우리 회사로 입사 시켰습니다. 처음 온 조직에서 연봉부터 직급까지 높은 사람을 영입하면 부담이 되기에 일단 신입 급부터 팀에 합류시켜 초반 세팅을 하였습니다.

이 신입에게는 예전 직장보다 당연히 사내 인프라도 갖추어져 있고, 업무 영역도 넓어질 수 있는 기회였습니다. 저는 이 신입에게 일을 제대로 배울 수 있고 이 분야의 업무가 너의 직장 생활에 첫 단추를 잘 끼우는 기회라고 얘기해 주었습니다. 요즘은 평생 직장이 없으니 이 직장을 전체 직장 생활의 좋은 발판으로 생각하고 이 분야의 업무도 나중에 확장된 신규 분야까지 진출할 수 있는 기반이 될 거라는 미래 지향적인 희망을 항상 나누었습니다. 실제로 이 신입은 나날이 발전해 갔고 그 회사 내에서 동급 최강이 되어 사내에서 인정도 받았습니다.

두번째 영입은 2개월 후 진행한 10년차 협력사의 팀장이었습니다. 협력사를 정리하는 과정에서 만난 사람이었습니다. 서글서

글한 성품에 붙임성도 좋고 일단 이 분야에 대한 전문성이 뛰어났습니다. 20년차인 저와 아직 1년차인 신입 사이에서 중간 관리자로서의 역할에 딱이었습니다. 능력이 뛰어나다 보니 우리 회사의 같은 연차 연봉에 비해 높은 편이었지만 대표님께 자신 있게 추천하여 영입을 할 수 있게 되었습니다.

팀장 직급에서 팀원으로 영입되는 것이어서 그 과장은 많이 망설였던 것도 사실입니다. 그러나 남의 돈 가지고 협력사로서 서포트 하는 일보다 브랜드사로서 자기가 주도하여 일을 진행하는 일, 즉 나중에 사업을 하더라도 꼭 필요한 업무 경험임을 강조하며 설득하였습니다. 그리고 영입한 후 최선임으로서 항상 권한을 위임하여 주도적으로 업무를 진행 할 수 있는 기반을 마련해 주었습니다. 이 과장 또한 특유의 붙임성으로 사내에서 인맥 좋은 중간 관리자로 성장하고 있었습니다.

신생 팀이고, 신규 프로젝트이다 보니 항상 해결해야 할 이슈가 있고 위기의 순간들이 있었습니다. 3명의 팀이다 보니 인원부족으로 쉽게 지칠 수도 있고 의기소침해 질 수도 있었습니다. 저는 매월의 시작을 앞으로 한달은 이렇게 전략을 가져갈 것이며, 여기까지 진도 관리를 하며 이 프로젝트를 완성해 갈 것이다, 라는 브리핑을 해주었습니다. 자기가 가야 할 길을 알고 있을 때는 위기에 대한 두려움은 없을 거라는 희망 때문이었습니다.

또한 예기치 않은 이슈가 터져서 정신이 없을 때도 팀원들을 모아 놓고 차분하게 이슈를 분석하고 대책을 세워 나가는 워크샵을 진행하였습니다. 빠른 의사결정으로 일단 수습부터 할 수도 있었습니다. 그러나, 업무 지시가 아닌 토의를 통해 함께 방법을 찾아 나가는 것이 돌아가지만 더 확실한 해결책이라는 믿음 때문이었습니다.

제가 전략을 짜고 짜임새를 갖추면 특유의 붙임성으로 유관 부서와 협력하며 과장이 실행을 하였습니다. 그러면 신입이 필요한 손발 역할을 숙련되게 진행하며, 수치 등의 데이터 트레킹을 꼼꼼하게 챙겨주었습니다. 우리 3명의 신생 팀은 팀 자체에 대한 믿음이 있었고, 팀의 미래에 대한 희망과 비전을 공유하고 있었기에 앞만 보고 매진할 수 있었습니다.

그러던 어느 날 예전 직장에서 알던 상사분한테서 연락을 받았습니다. 다른 일로 저희 회사 근처로 올 일이 있는데 한번 저녁 한 끼 하자는 것이었습니다. 오래 연락이 끊긴 분이었지만, 그 전 직장에서 반발 앞선 인사이트를 제시하시는 분이라 항상 모시고 싶던 분이었죠. 인연이 없어 모실 기회가 없었지만 그 날 저녁 오랜만에 식사 자리를 가졌습니다. 한참 서로의 근황 얘기를 나눈 후 본격적인 제안을 하였습니다. 지금 본인이 하는 일에서 전략을 맡아 줄 사람이 필요하다. 자기 직속으로 영입하고 싶은데 혹시 의사가 있느냐고 말이죠. 그리고 오늘 바로 결정을 안 해도 된다고, 본인은 삼고초려 하는 마음으로 왔기에 오늘 말고 한 2번은 더 영입 제안을 하려고 올 거라고 말이죠. 그 제안에 대해 저는 바로 대답했습니다.

"삼고초려가 왜 필요하십니까? 그냥 일고초려하시죠. 항상 같이 하고 싶었습니다."

저에게 필요했던 건 팀원들과 나눈 희망과 비전보다 더 좋은 직장이었을까요? 제 직장 생활의 원동력이었던 팀원들과의 결속력은 이렇게 쉽게 포기될 수 있었던 걸까요? 비록 많은 걸 나누었지만 내가 이끌어야 할 팀원보다 모시고 싶었던 상사가 그땐 더 중요했을까요?

직장 생활은 흔히들 버틴다고 합니다. 그러나, 버티기 위해서는 그만큼 성과를 지속해서 내지 못하면 불가능한 일입니다. 이에 지속적인 성과를 내기 위해 직장인은 고전분투를 하고 있습니다. 그 고전분투를 지속적으로 하기 위한 원동력이 과연 두려움을 회피하려는 노력이냐? 또는 미래에 대한 희망이냐? 에 대해서는 직장인들이 끊임없이 고민하는 주제이기도 합니다.

아무래도 두려움에 대한 회피는 수동적이고, 미래에 대한 희망은 능동적이기에 희망에 좀 더 무게 중심이 실릴 수도 있습니다. 그러나, 영화 명량의 명대사처럼 "두려움을 용기로 바꿀 수 있다면" 두려움으로 자극을 주는 것이 직장 내에서 성과를 내는 가장 효율적인 방법이기도 합니다. 팀 전체가 공유 한 희망이라도 솔직히 냉혹한 비즈니스 세계에서 조그만 잇속이라도 있다면 헌신짝처럼 버려질 수 있는 게 현실이기도 합니다. 그래서 두려움에 대한 회피와 미래에 대한 희망 중 어느 것이 옳다고 딱 꼬집어 얘기할 수 없으며 이는 인문학과 철학에서도 지속적으로 논쟁이 되고 있는 주제입니다.

빅터 프랭클의 『죽음의 수용소에서』라는 책이 있습니다. 그는 심리학자이자 유대인 수용소의 생존자입니다. 그 끔찍한 환경에서 살아난 이 학자는 그때의 경험으로 인간이 극한의 환경에서 죽음을 어떻게 극복할 수 있는지를 경험담과 함께 풀어 내었습니다. 단순한 학문적 접근이 아닌 생생한 본인의 경험으로 주장하고 있는 얘기이기에 우리에게 주는 울림이 남다른 책입니다. 언제 끝날 지도 모르는 상황, 내 스스로 뭔가를 전혀 통제할 수 없는 환경, 자살 마저도 사치가 되어 버린 무력한 현실 속에서 작가는 인간이 어떻게 생존을 이어 갈 수 있을까 하는 의문을 지속적으로 제기하며 본인의 끔찍한 경험담을 풀어 냅니다.

일단 수용소에 처음 와서 죽음에 대한 공포를 극복하기 위해 몸부림 치고 본능적으로 자기 자신을 보호하려는 모습이 처음 생존을 위해서 필요하다고 합니다. 그러나, 그 두려움이 언제 끝날 지 모르는 현실로 인식되기 시작하면서 상황이 달라집니다. 두려움이 만성화 되어 마치 길가에 채이는 돌멩이 같이 무감각 해져서 동료의 죽음 앞에서 숨겨놓은 빵 부스러기가 발각될까 걱정하는 상황이 된다고 작가는 고백합니다. 살아있어도 인간으로서 생존하고 있지 않은 상황이 되는 것이지요.

또한 주변의 사례를 들며 근거 없는 낙관주의 또한 그 환경에서 생존에 도움이 되지 못한다고 얘기합니다. 꿈 속에서 예견된 3월 30일이 오면 전쟁이 끝난다고 믿고 주변 사람에게 희망을 주던 한 지식인이 있었습니다. 그러나, 그 날이 다가오며 그는 정신 쇠약 속에서 급격히 병약해져 갔고, 결국 3월 31일 그는 세상을 떠나고 맙니다. 이 상황을 작가는 희망이 무너질 때 그 상황을 감당할 수 있는 무언 가가 없다면 희망 또한 생존을 위해 도움이 되지 않는다는 것을 몸소 체험했다고 말합니다.

　　그렇다면 극한적인 상황에서도 인간의 삶을 유지하기 위해 두려움에 대한 회피와 미래에 대한 희망 모두 실제 현실에서 도움이 되지 않는다면 무엇이 원동력이 될 수 있을까요? 작가는 자기 방어를 위한 두려움의 회피는 죽음에 대한 단순한 반사 작용일 뿐이라고 얘기합니다. 권태 혹은 좌절이 예견되는 희망은 인간에게 실존적 공허를 가져다줄 뿐이라고 얘기합니다. 그래서 너무 본능에 의존하지 말면서 너무 추상적으로 포장하지 말고 내 삶에서 구체적으로 수행할 수 있는 [작은 의미]를 찾아야 한다고 주장합니다.

　　가장 극한의 상황에서 인간으로서 삶의 존엄을 유지하는 방법이 아주 작은 의미를 찾으라는 것이 잘 와 닿지 않을 수도 있습니다. 그러나 작가가 주장하는 작은 의미는 생각보다 작지 않습니다. 왜냐하면 죽음의 문턱에서도 본인이 마지막으로 선택할 수 있는 작은 의미이기 때문입니다. 약간 딴 말 같긴 하지만 죽을 때가 되면 사람이 착해진다고 합니다. 이 말은 죽음의 순간에는 그만큼 모든 것이 변할 수 있다는 얘기이지요. 그런데 죽음의 그 순간에도 변하지 않고 선택할 수 있는 삶의 의미라는 것은 살아 있는 동안 자기 삶에 사명이 되고 변하지 않는 신념으로 자리 잡은 굳건한 무엇이라는 것입니다.

　　단지 그 규모가 본인이 구체적으로 수행할 수 있는 작은 의미이며 직접 책임지고 선택 할 수 있어야 한다는 것입니다. 그래서 작가가 찾은 그의 작은 의미는 바로 아내에 대한 고마움과 사랑을 수용소 생활 내내 추억으로 지니며 살아 가는 것이었습니다. 그리고 죽음의 마지막 순간이라고 여겼을 당시 친구에게 부탁한 유서에서도 온통 아내에 대한 그리움과 사랑으로 절절한 내용을 채웠습니다.

결국 정글 같은 비즈니스 환경에서 살아 남기 위해서 우리에게 중요한 것은 따로 있는지 모릅니다. 두려움을 극복하느냐 수동적으로 끌려 가느냐가 중요한 게 아닐 수 있습니다. 같이 나눈 희망을 뒤로 한 채 내 잇속을 차리느냐 아님 그들과 그 희망을 위해 모험을 감수하느냐가 중요한 갈림길이 아닐 수도 있습니다. 오히려 제가 직장을 그만 둘 때, 함께 한 이 들과 헤어지는 순간이 왔을 때 제가 그들에게 떳떳하였느냐가 더 중요한 점이 아닐까 하는 생각이 들었습니다.

제가 임원 회의에서 시달리고 와서 우리 팀원에게 똑같은 두려움을 주며 일을 효율적으로만 진행하기 위해 닦달하진 않았는가? 3명의 팀원 중 한명이라도 이탈하면 힘들기에 나 자신도 확신하지 않는 근거 없는 희망과 비전을 제시하며 팀원들을 가스라이팅 하지 않았는가? 이러한 질문에 제 자신이 떳떳하게 아니다 라고 답할 수 있을 때 제가 직장 생활을 꾸준히 지속할 수 있는 삶의 작은 의미를 유지하고 있다고 얘기할 수 있을 것입니다. 과연 저는 위 두가지 질문에 아니다 라고 자신 있게 대답할 수 있을까요? 또 다른 상황에도 이런 질문에 대해 떳떳하게 대답할 수 있을까요?

"결국 포기하고 싶은 순간에도 자기 자신에게 떳떳하게 대답하기, 쉬우면서 어려운 일입니다."

제가 쓴 이 글의 에피소드와 화두들은 "3시간만 읽으면 월 1천만원을 버는 방법"을 소개하는 실용서는 아닙니다. 그렇다고 학계의 파란을 일으킬 새로운 철학 이론을 제안하는 것은 더더욱 아닙

니다. 단지 성공하지 못했지만 성공적인 삶을 살고 싶고, 부자 되긴 글렀지만 행복하고 싶은 중년 직장인의 평상시 고민입니다. 즉 아직은 진화 중인 호모 오피스쿠스의 자기 고백입니다.

혹자 중 이런 말을 하는 사람은 직장 생활을 몰라도 한참 모르는 사람이라고 생각합니다.

"그냥 직장 생활이 가장 편한 거야. 직장 나오면 밖은 완전히 정글이다. 그냥 편하게 다녀."

자신이 정하지 않는 장소에, 자신이 원하지 않는 사람들과, 자신이 선택하지 않는 시간에 회사라는 조직에서 자기 주도적으로 할 수 없는 업무를 하면서 지내야 하는 직장인은 그 어떤 삶보다 고달픕니다. 제가 쓴 에피소드와 같이 때때로 권모술수에 휩쓸리기도 합니다. 끊임없이 자신과 조직 중에 선택을 해야 하는 상황에 몰립니다. 그리고 때론 희망에 가스라이팅 당하다가도 느닷없이 해고의 두려움에 잔뜩 긴장하기도 합니다. 온탕과 냉탕을 오고 가며 자기 자신에 대한 질문과 회사 내의 사람과의 관계에 대한 질문에 휩싸이게 됩니다. 아니 오히려 더 현실적으로는 그러한 질문을 하기조차 힘들게 그냥 흘러가는 데로 살아가며 자기 자신을 소진해 가는 게 더 맞는 말이겠군요. 일종에 자기 자신을 갈아서 월급이라는 안정된 시스템에 금전적 만족만으로 삶을 살아갑니다.

그렇기 때문에 우리 직장인들에게 철학과 인문학이 필요합니다. 그냥 휩쓸려 살아가는 편한 생활보다 끊임없는 질문에 당당히 맞설 수 있는 삶을 살아가야 합니다. 주변 사람을 불신하고 환경을 탓하기에 앞서 자기 자신을 돌아보고 타인과의 관계에 떳떳한 지 항상 사유하여야 합니다. 너무 큰 철학적 화두에 주눅 들지 말고 삶의 끝에서도 유지할 수 있는 작은 의미를 찾아 나가야 합니다. 비록 욕망을 위해 모든 것을 녹여 버리는 용광로 같은 탐욕 한 비즈니스 환경 속에서도 우리들이 함께 살아가는 인간이라는 것을 잃지 말아야 합니다.

이 책을 준비하면서 제가 예전에 SNS에 써 놓았던 글들을 보면서 40대의 저는 사회에, 회사에, 주변 사람들에게 참 날이 서있던 사람이구나 하는 것을 느꼈습니다. 그에 비해 요즘의 글은 참 따뜻하고 주변 사람에 대해서 부드러워졌다는 생각을 하였습니다. 아무래도 50대가 되어 가는 더 완숙한 중년 직장인으로서 아직까지 놓치지 않고 고민하던 개똥철학이 나름 진화했구나 하는 생각이 들었습니다. 또한 이런 진화된 생각을 독자 여러분과 나누고 싶었습니다. 흥건한 술자리에서 내뱉는 말로 휘발되지 않고, 눈요기 거리에 불과한 유튜브의 영상으로 소모되지 않고, 한 자 한 자 곱씹으며 가슴 속에서 되뇔 수 있는 활자로 남기고 싶었습니다. 앞으로 남은 직장 생활에서는 저는 얼마나 진화한 호모 오피스쿠스가 되어있을까요? 여러분 또한 지금보다 더 진화된 호모 오피스쿠스가 되기 위해 어떤 사유를 해야 할까요? 저의 책이 여러분에게 그런 진화의 계기가 되는 기회가 되었으면 좋겠습니다.

해
니

내가 가진 열 가지 망원경

우리는 너무 멀게 느껴지는 것들을 가깝게 들여다 보기 위해 망원경을 쓰기도 한다. 나 스스로에게 질문을 한다는 건 망원경으로 저 먼 별무리들 중 하나를 선명하게 들여다보는 일과 같다. 이 책을 통해 나는 10가지 질문을 던질 것이다. 나를 위해, 이 책을 접할 누군가를 위해. 우리는 이따금씩 타인이 나를 아는 것 보다 날 더 잘 모르기도 한다. 나는 나와 가장 가까워야하고 나에게 가장 다정해야하는데 그렇지 않은 경우가 흔한 것이다. 이 책의 질문들은 나를 망원경으로 들여다보고 나를 더 잘 알아갈 수 있도록 할 것이다. 이는 달리 말하면 질문을 통해 내가 가진 세계관의 해상도가 높아질 수 있다는 의미이기도 하다.

때로는 사람들이 내게 '좋은 사람', '착한 사람'이라고 한다. 그런 말을 들을 때면 아이러니한 기분을 느낀다. 좋은 사람, 착한 사람의 절대적인 기준이 존재할까? 모든 사람의 입맛에 맞는 좋은 사람은 존재하지 않는다. 나 또한 좋은 사람이 아니다. 그리고 좋은 사람이 되려고 의도하지 않는다. 다만 나는 나에게 질문하는 사람일 뿐이다. 질문을 하면서 나에 대해 선명히 인식하고 정리하려고 하는 게 다인 것이다. 타인들은 이런 나의 모습을 보고 좋은 사람이 되려고 노력하는 것 같다, 라고 바라봐주는 것 뿐이다. 그렇다면 나는 왜 남들에게 좋은 사람으로 비춰지는 것일까? 이 책이 끝날 무렵에는 이에 대한 이유를 알 수 있기를.

| 과거 |
과거에 내가 경험한 일과 그를 통해 지금의 나에게는
어떠한 영향이 있었는지 되돌아 볼 수 있는 질문

1. 과거로 돌아간다면
내가 절대로 하지 않을 선택은 무엇인가요?

내 고등학교 시절, 나의 내신 성적은 평균 3등급 이하였다. 중하위권 성적이었던 나는 대학에 대한 이상이 높은 학생이었다. 성적은 별볼일 없었지만 누구나 들으면 알 만한 대학에 입학하고 싶었던 것이다. 왜 그때 그런 생각을 했냐, 라고 하면 그저 차기 어린 마음일 뿐이었다, 라고밖에 답을 못 하겠다. 그때 당시에 내가 가진 생각은 그저 충동적이고 대학입시에 대해 뭘 잘 몰랐던 나의 무지였고 대학이 가진 명성이 곧 내가 잘난 사람이라고 증명해줄 수 있을 것 같았다.

나는 고3 때 수시전형으로 총 4개의 대학을 지원했다. 수시전형으로 지원할 수 있는 일반적인 대학의 수는 6개였는데 나는 인서울, 인경기 네임드 대학이 아니면 가지 않겠다, 라고 아집을 부렸고 6개를 다 채울만큼 내 마음에 드는 대학들이 없었기 때문에 남은 2개의 수시원서는 지원하지 않았다. 당시 나는 성적이 좀 부실해도 신의 가호로 내가 인서울, 인경기 대학에 갈줄 알았다. 결론적으로 말하면 나는 신의 가호를 받지 못한 채 내가 지원한 4개의 대학교에 전부 '불합격'했다. 수시전형을 망치고 이후에 나는 어디 내놓기도 부끄러운 수능성적을 가지고 울며 겨자먹기 식으로 성적에 맞춰 대학에 지원했다.

"네가 그래도 심리학과나 상담 쪽에 관심이 있으니까 최대한

해니

학과를 맞춰보자"

"……"

"해니야, 너 수시 지원할 때는 눈이 반짝반짝했는데 지금은 눈이 동태눈이 됐네."

나의 정시원서를 봐주던 담임선생님은 나의 성적과 나의 흥미에 최대한 맞춰 대학 지원을 하는 데 도움을 주셨다. 그러나 나는 그때 당시 수시 지원에 다 떨어졌다는 절망감 때문에 모든 의욕을 다 상실한 때였다. 내가 원하는 대학에 갈 수도 없는 거, 그냥 될 대로 되라는 마음뿐이었다.

대학 정시지원 합격발표가 있던 날, 나는 울었고 우리 부모님은 웃었다. 내가 원하지 않았던 대학에 최종합격한 것이었다. 우리 부모님은 내가 대학에 입학할 수 있다는 사실에 안도하셨지만 나는 현실을 받아들이고 싶지 않았다.

그러나 아이러니하게도 나는 내가 원하지 않는 대학에 입학하고 나서 중고등학교 시절보다 더 열심히 살았다. 나의 나태로 인해 내가 나락으로 떨어졌다는 생각이 뼛속 깊이 새겨졌던 탓인지 나는 독기에 찼고 뭐든 성과를 내려고 애를 썼다. 공부를 성실히 해서 성적장학금을 받기도 했고 그 외 다양한 활동을 해서 스펙을 쌓았다. 멘토링 활동 등을 하며 용돈벌이를 하기도 했다. 그 결과 돌이켜 보면 큰 후회없는 대학생활을 했다. 나에게 주어진 기회가 내가 원하던 것이 아니어도 꾸준하게 내 방식대로 나만의 길을 만들어나간 것이었다.

대학생활을 바탕으로 깨달은 점이 있다면 나는 주어진 환경 속에서 최선의 결과를 만들어갈 수 있다는 것이다. 고등학교로 돌아가서 더 나은 성적을 내고 더 나은 대학에 입학할 수 있었다면 좋지 않았을까, 라는 생각을 자주 했다. 내가 졸업한 대학을 다니면서 학교가 학생에게 제공하는 인프라 또는 혜택이 아쉽게 느껴지는 순간이 많았기 때문이었다. 하지만 한편으론 내가 지금의 대학을 졸업했기 때문에 지금의 내가 여기까지 성취할 수 있었던 것이다. 과거의 그릇된 선택이라고 여겼던 것도 현재 내가 어떤 선택을 하느냐에 따라 나를 더 크게 도약시킬 수 있음을 알았다. 앞으로 나는 현재 선택의 오류를 미래에 어떤 식으로 열매로 맺게 할 수 있을까.

2. 남에게 들은 말 중 인상깊었던 말은 무엇인가요?

나한테는 많은 말들이 내 마음에 들어있다. 이런 저런 말들은 나한테 많은 영향을 끼친다. 말은 그 형태가 없지만 듣는 사람에게 온도와 형태가 되어 전달되는 것 같다.

"너는 이름이 뭐야?" "같이 갈래?" "너 기분 괜찮아?"
학생일 적에 나는 친구관계에 대한 걱정을 많이 했었다. 내가 잘 어울릴 수 있을까? 하는 걱정이 대부분이었다. 그런 걱정이 들 무렵에 나에게 먼저 다가와 나에 대해 물어주던 친구들이 있었다. 그 친구들이 해준 말은 사소한 것들이었지만 그덕에 나는 다채로운 추억이 될만한 학교생활을 할 수 있었다.

"저는 선배가 약한 사람이라고 생각하지 않아요. 선배는 힘들어 울면서도 밥도 먹고 공부도 하고 산책도 하고 벌써 3가지나 해

내셨잖아요. 선배가 정말 약한 사람이라면 이렇게 하지 못했을 거예요.”

내가 감정적으로 힘든 일이 있어서 봇물 터진 것 마냥 울던 시기에 당시 알고 지내던 후배가 해주던 말들은 나에게 따뜻함을 느끼게 해주었다. 그때 당시 나는 나의 여리고 나약한 모습을 의도치 않게 남에게 보이면 기겁하며 놀랐다. 그럴 때마다 후배가 보여준 나를 있는 그대로 봐주고 내가 어떤 태도를 보이던 후배는 그 후배 특유의 무던하고 유연한 태도로 나를 편안하게 해주었다. 나를 대하는 후배의 태도로 하여금 내가 그 후배를 신뢰할 수 있는 기반이 되었다.

“그런 사람들은 그렇게 살다가 죽을 거예요. 그런 사람들을 신경쓰기에는 내가 너무 아까워요.”

나는 장애가 있어서 걸음을 걸을 때면 때때로 주변 사람들이 수군거리기도 하는데 그런 말을 들었다고 하면 나의 지인이 해준 말은 나를 단단해질 수 있도록 했다.

“네가 가능한 범위 그리고 타인이 가능한 범위 그 선이 중요한 것 같아. 관계는 쌍방으로 노력하는 거고 그런 와중에 네가 아플 정도로 맞출 필요는 없어.”

우리는 인간관계를 할 때 소통을 가장 어려워 한다. 나 또한 타인과 의사소통을 할 때 내 입장에 대해 그리고 상대방 입장에 대해 어디까지 이야기를 하고 조율을 해야하는지 혼란스러워했었다. 이때 아는 언니가 해준 말은 나를 좀 더 지혜롭게 해주었다.

“언니, 주님의 큰그림은 사람이 알 수 없다고 해요. 언니도 취업 어차피 하실 거니까 너무 불안해하지 않으셨으면 좋겠어요!”

내가 대학교를 졸업하고 취업을 준비할 시기에 내가 지원하는 기업들마다 최종합격을 하지 못하고 탈락의 고배를 마셨다. 그럴 때마다 나는 좌절감을 크게 느꼈는데 친한 후배가 해준 말들은 내 마음을 안심시켰다. 나는 종교생활을 하진 않지만 그것과는 별개로 후배의 말을 통해 결과를 편안하게 받아들이는 방식을 알 수 있었다.

이렇게 내가 타인의 말에 영향을 받고 변화할 수 있었던 건 다 그 사람들이 나에 대한 진정어린 애정이 있었기에 가능한 것이 아닐까 싶다. 별거 아닌 말이 특별한 조언으로 들리는 것 또한 그 사람과 나 사이에 믿음이 있었기 때문에 가능한 것이라고 본다. 통상적으로 사람들은 꼰대같은 잔소리와 조언에 차이에 대해 잘 모를 때가 있다. 그 차이를 가름하는 기준은 대단히 주관적이지만 한 가지 확신할 수 있는 건 상대방의 상황뿐만 아니라 마음과 감정을 세심하게 살펴 주는 것이 조언과 꼰대같은 잔소리를 가르는 하나의 기준이지 않을까, 싶다. 이런 점에서 나에게 따뜻한 말을 해준 이들은 나를 아껴주었고 나의 이야기에 충분히 귀기울여 살펴주었다. 그들의 세심함과 조언에 다시 한 번 감사한다.

3. 어떤 장례식을 경험해봤나요?

내가 상복을 입어본 건 비교적 최근의 일이었다. 친할아버지가 돌아가셨기 때문이었다. 나는 그때 당시 펑펑 울었다.
나는 친할아버지와 같이 살았었다. 친할아버지는 날 많이 챙

해니

겨주시고 사랑해주셨다. 어릴적 겉옷에 지퍼가 떨어지면 친할아버지는 내가 모르는 새에 겉옷 지퍼를 바느질하셔서 달아주셨고 내가 나이가 먹고 신발 사이즈가 달라졌어도 나의 신발을 신겨주고 벗겨주셨다. 그런 친할아버지가 내가 고등학교 2학년일 무렵 치매에 걸리셨다.

"저기 소가 보인다."

"할머니가 천장에 메달려 있다. 사다리 가져와라."

처음에는 환시였다. 가족들은 친할아버지의 치매 증상에 처음에는 웃어넘겼다. 친할아버지의 나이는 거의 구순이었고 치매증상이 와도 유난스러울 것은 없었기 때문이었다. 그러나 그건 치매 증상이 심해지지 않을 때나 가능한 얘기였다. 치매가 심해지고 난 이후부터는 매일 밤이 소란스러웠다. 친할아버지는 낮과 밤이 뒤바뀌어 밤엔 잠을 주무시지 않고 손전등을 들고 다니며 거실을 누비셨다. 가족들은 밤이 되면 그 어느 누구하나 편하게 잠을 청하지 못하고 예민해졌다. 가족들은 인지능력이 떨어진 친할아버지에게 제 속이 답답하니 짜증을 내고 소리를 치기도 했다. 그럼에도 시간이 지나며 친할아버지의 실수는 늘어나고 가족들은 친할아버지를 집안에서 돌보는 데 한계를 느꼈다.

"아버지, 유치원 가자. 준비하셔."

"에잇, 안 간다."

결국에 가족들은 친할아버지를 주간보호센터에 보내기로 했다. 그러나 친할아버지는 약 일주일을 다니시고는 무슨 연유에서인지 안 가겠다고 고집을 피우셨다. 안 가겠다고 하는 사람을 무슨 수로 데리고 갈 수 있겠는가. 결국 친할아버지는 주간보호센터를 금세 그만 두셨다. 이후에 친할아버지는 잠시 동안 집에서 생활

하셨다. 하지만 끝내는 요양원을 들어가시고 그마저도 요양원에서 식사를 거부하고 밤에 잠을 안 주무시겠다고 하셨다. 돌아가시기 직전에는 폐렴증상으로 요양병원에 입원하셨다.

"할아버지 돌아가셨어."
어렴풋이 기억하기로는 아침이었다. 그 전날 부모님은 병원으로부터 친할아버지의 호흡이 옅어졌다는 소식을 듣고 병원으로 향하셨다. 엄마, 아빠가 친할아버지의 임종을 지켜볼 동안 나는 잠에 들었다. 그리고 아침이 되어서야 그 소식을 전해 들은 것이었다.

장례가 진행되는 동안 나는 쉼없이 눈물을 흘렸다. 같이 장례를 치른 가족들도 조문객을 응대할 때는 별날 것이 없다는 듯이 굴었지만 친할아버지의 시신이 본격적으로 화장이 되기 직전, 마지막으로 가족들이 시신을 볼 때에 다들 울었다. 나는 그날 아빠가 소리내어 우는 것을 처음 봤다. 나는 시신이 화장되기 전 친할아버지의 손을 만져보았다. 생전에는 느껴본 적 없었던 찬 기운과 딱딱함이었다.

친할아버지의 병환과 장례를 경험하며 무상함을 많이 느꼈다. 우리는 언제, 어디서고 죽을 수 있다. 예고없이 말이다. 어떻게 죽을 것인가? 라는 물음은 사실 의미가 있을까 싶다. 때로 누군가에게는 그 여부를 결정할 선택지도 없이 찾아오는 것이 죽음이기 때문이다.

나는 어떻게 죽을 것인가, 라는 물음을 살짝은 바꿔보고 싶다. 어떤 장례를 치러야 될까? 나는 내가 죽어 장례를 치러야한다면 내가 살아생전 듣던 노래들을 식장에서 틀고, 내가 생전에 썼던 글들을 전시해놓고 싶다. 나의 조문을 위해 있는 상주들 그리고 위로를 전하러 온 조문객들은 나, 라는 사람하면 떠오르는 걸 손에 들고 오는 것을 생각해보았다. 장례의 목적 중 하나가 죽은 사람을 기리기 위한 것 아니겠는가. 그렇다면 나는 나를 기리기 위해 온 사람들이 나와 관련된 아이템을 보며 나에 대한 추억을 공유하고 곱씹어보면 어떨까 생각했다.

흔히들 언제 죽을지 모르니 나중에 후회하지 말고 지금을 즐기라고 말한다. 하지만 우리의 삶에는 미래가 있고 그 미래를 위해 조금은 현재를 희생해야되기도 한다.

죽음은 우리에게 목전에둔 것과 같이 가까운 존재가 맞지만 사실 매 순간 죽음을 예비하여 현재를 불나방처럼 살 순 없는 노릇이다. 그러니 우리가 할 수 있는 건 죽을 날을 예비하여 미리 영정사진을 찍는 것도, 언제 죽을지 모르니 현재에 지극히 충실하며 사는 것 보다는 그냥 그저 그런대로 나의 오늘이 최선이었구나, 나의 지난 날의 선택이 그때 당시 나에게는 최선이었겠구나 생각하며 스스로에게 소소한 행복을 주며 살 수 밖에 없는 것 같다.

| 현재 |
지금의 내 상태는 어떤지 점검해볼 수 있는 질문
내지는 지금의 내 모습을 가장해볼 수 있는 질문

4. 나는 건강한가요?

나는 대학에 다닐 시절 상담을 꽤 오랫동안 다녔는데 그때 당시 나의 상담을 해주시던 상담 선생님은 내가 감정의 기복이 생길 때에 해주시던 말이 있었다. "몸 따라 마음 가고 마음 따라 몸 가는 거야." 라는 말이었다.

사람들은 건강에 관심이 많다. 그런데 우리는 어떨 때 건강하다고 말할 수 있을까? 피트니스 대회에서 1등을 정도의 몸매가 되면 운동을 그만큼 많이 한 거니까 건강한 걸까? 생로병사를 매일같이 챙겨보며 고혈압이나 혈당 관리에 도움이 된다는 렌틸콩을 챙겨먹으면 건강한 식습관을 가진 것이니까 건강한 것일까? 명상을 매일같이 하면 마음이 건강해지고 있는 것일까?

꼭 그런 것만은 아닐 수 있다. 피트니스 대회에 나가 화려한 수상 이력을 쌓았을 지언정 몸이 망가졌을 수도 있고 매일 같이 건강 프로그램을 챙겨보고 건강식을 챙겨먹으려고 애를 써도 강박적인 성향이 있으면 스트레스로 홧병이 온다. 나조차도 매년 상담을 받고 매주 운동을 하고 취미생활을 이것저것 하지만 항상 스트레스를 받고 짜증을 낸다.

혹자는 아니, 그러면 네가 하고 싶은 말은 뭐냐, 라고 할 수 있다. 어차피 운동을 해도, 마음을 다스리려고 애를 써도 온전해질 수 없는 것 아닌가.

해니

내가 여기서 말하고 싶은 건강은 아무런 문제 없는, 온전한 상태를 의미하는 것이 아니다, 다만, "견딜 수 있는 상태"인 것이다. 견딜 수 있는 상태와 견딜 수 없는 상태의 차이는 "내 루틴을 깨트리지 않을 수 있는가"이다. 견딜 수 없다면 제때 일어나는 것, 일어나 이불을 개고 환기시키는 것, 제때 건강한 끼니를 챙겨먹는 등의 기본적인 루틴이 흐트러지는 것이다. 우리 일상은 항상 스트레스로 가득 차있다. 매 순간이 힘들다. 인생은 기복이 심해서 밑도 끝도 없이 좋아질 순 없어도 밑도 끝도 없이 나빠지고 그 안에서 숱하게 슬퍼질 순 있다. 그런 기복을 느끼며 사는 것이 인간인 것이다. 하지만 견딜 수 있는 상태가 되면 인생의 기복에서 상대적으로 크게 흔들리지 않게 되는 것이다. 감정이 우울해진다고 몸도 그 우울한 감정을 따라가지 않도록 해야하는 것이다.

울고 나서 밖에 나가 햇빛을 보는 것, 3끼를 굶지 않는 것, 일어나면 이불을 개는 것, 전문적인 운동을 배울 수 있다면 배워서 주기적으로 몸을 움직이는 것 등 힘든 상황에서도 나를 무너트리지 않고 유지시키는 건 대단하지 않아도 된다. 나빠지는 데 밑도 끝도 없는 게 인생이라면 그 속에서 어찌 됐든 균형을 잡고 나를 돌보아야 내가 악순환에 빠지지 않을 것이다.

5. 지금, 여기에 살고 계신가요?

상담학 내용 중에는 "here and now" 라는 기법이 있다. 불안한 감정이 올라올 땐 지금, 여기, 이 순간에 집중해보라는 것이다. 내가 손을 씻고 있다면 지금 내 손을 타고 흐르는 물줄기에 신경을 귀기울여보고 아니면 내가 지금 쉬고 있는 들숨과 날숨에 신경을 기울여보라는 것이다.

우리는 과거-현재-미래를 모두 놓치고 있는 경우가 더러 있다. 지나간 과거의 선택에 괴로워하고 불안함에 휩싸여 현재 놓여 있는 나의 기회를 놓친다. 현재를 놓친다는 건 과거와 또 동일한 선택을 한다는 거고 이는 곧 나의 미래에도 영향을 미친다. "시간은 선택과 해석의 문제"이다. 우리는 살면서 의식적으로든 무의식적으로든 다양한 선택을 하며 살아간다. 또한 이러한 선택은 나에게 영향을 미친다.

나는 과거에 너무 성급하게 누군가의 관계를 결단지으려고 한 적이 있었다. 너무 갑자기 관계를 끊어내려 하거나 너무 갑작스럽게 이 사람과 가까워지려고 하는 식이었다. 그로 인해 대부분의 관계는 틀어졌다. 그때 당시에는 그 사람의 잘잘못으로 인해 괴로웠다. 이 사람이 나를 피했고 나를 싫어한다고 생각했다. 하지만 시간이 지나 좀 더 여러 경험을 하면서 그때 당시에 사이가 틀어진 걸 단순한 잘못의 문제가 아니란 걸 알았다. 잘잘못을 따지는 걸 넘어 아, 입장 차이였구나. 나 또한 미성숙했구나. 라는 걸 깨닫게 되는 순간들이 있었다. 시간이 지나면서 과거에 대한 나의 해석이 달라지는 것이다.

사실 이미 일어난 일에 대해서는 내가 할 수 있는 것이 없고 일어날 일에 대해서는 내가 대비할 수 있는 게 없다. 미래는 내가 우려하는 것들을 뛰어넘기 때문이다. 그렇다면 나에게 남는 건 현재뿐이다. 그렇기 때문에 현재를 더 귀히 여겨야하는 것이다. 더 나은 과거에 대한 해석을 위해 더 나은 미래의 선택을 위해.

해니

6. 돈을 주고서라도 사고 싶은 누군가의 인생이 있다면
그건 어떤 인생인가요?

우리는 모두 본인의 인생에 결함이 있다. 그래서 타인의 인생을 부러워한다. 돈이 없는 사람은 돈이 많은 사람을 부러워하고 나이가 든 사람들은 젊은 나이의 사람들을 부러워한다.

요즘은 춤추기 챌린지가 트렌드이다. 각종 sns의 쇼츠 동영상들을 보면 때에 맞는 유행하는 노래에 맞춰 많은 사람들이 챌린지를 진행하고 있다. 내가 부러워하는 누군가의 인생은 춤을 추는 사람들의 인생이다. 나는 몸을 자유롭고 자연스럽게 움직일 수 없어서 몸을 자유롭게 뜻대로 움직이는 사람들을 부러워한다. 특히나 나는 흥이 많아서 노래듣는 걸 좋아하는데 그럴 때마다 노래에 맞춰 춤을 유려하게 추는 댄서들을 동경하게 된다. 나는 흔히 케이팝 댄스를 추는 '코레오' 장르의 춤을 추는 내 모습을 많이 상상해본다. 나는 어색하고 부자연스럽지만 남들이 따라 추는 것처럼 나는 오늘도 스우파 챌린지를 도전해본다.

나는 나의 이룰 수 없고 채울 수 없는 결핍이 내 신체에 들어있기 때문에 나의 결핍이 없는 그런 인생을 살아보고 싶은 것이다. 내가 원하는 때에 내가 원하는 데를 갈 수 있는 그런 자유로움을 원한다.

7. 5년 전 또는 10년 전 나에게 해주고 싶은 말은?

"힘들지? 네가 하고 싶은 걸 쉽게 할 수 없고 네가 가고 싶은 데를 네가 가고 싶은 때에 갈 수 없어서 말이야. 답답함을 많이 느끼고 있을 거야. 대부분의 순간에 많이 무기력해하고 있는 널 이해해. 너의 한계를 체감하는 순간이 찾아올 때마다 넌 많이 괴로워했잖아. 죽고 싶을 정도로. 지금은 시간이 꽤 흐른 뒤야. 네가 죽고 싶다고 하는 순간마다 죽지 않고 버텨서 지금의 너는 많은 것을 쌓아올렸고 그로 인해 풍부한 사람이 되었어. 많은 사람들이 너를 성실한 아이, 씩씩한 아이라고 믿고 따른단다. 씩씩하다는 얘기는 어렸을 때부터 많이 들어서 익숙하지?

힘든 순간에 힘들어하지 않는 건 아냐, 너는 그래도 버티는 힘이 많이 좋아졌단다. 너는 여전히 작은 실수 하나에도 긴장하는 완벽주의자 성향이 남아있지만 그 스트레스 받는 순간을 정도껏 무던하게 넘길줄 아는 기술을 익혔어. 여전히 종종 배달음식을 시켜 먹지만 집밥보다는 외식을 좋아하던 너는 지금에 와서는 엄마가 만들어준 밥과 반찬이 제일 맛있다고 해. 변하지 않는 입맛이 있다면 너는 어릴 때부터 지금까지 큰엄마가 만들어주신 양념게장을 좋아해.

어떤 너는 변했지만 어떤 너는 변하지 않기도 했어. 어떤 너는 성숙해졌지만 어떤 너는 여전히 서툴기도 해. 그럼에도 분명한 건 넌 순간, 순간을 잘 넘어가고 있다는 거야. 그리고 시간이 지날수록 너의 세계는 점점 넓어지고 있어. 네가 성장하고 성숙했단 말이야. 그러니 지금의 나는 온전한 너를 위해 항상 응원해."

해니

| 미래 |
나에게 일어날 수 있는 가능성이 있는 것들에 대해, 또는 일어났으면 하고 희망하는 것들에 대한 질문

8. 나는 좋은 배우자 또는 부모가 될 수 있을까요?

좋은 배우자 또는 부모의 조건에는 여러 가지가 있을 것이다.

나는 항상 내가 좋은 배우자 또는 부모가 되는 것에 많은 고민을 해왔다. 이런 고민을 하는 근간에는 나의 불안이 묻어있는 것이다. 가령 "불안정한 내가 누군가의 울타리이자 안전기지 역할을 잘 할 수 있을까?" 하는 생각들을 자주 하게 되는 것이다. 특히 내가 양육자의 역할을 해야되는 순간을 떠올리면 더 그런 불안이 자극되는 것 같다.

나는 외로움도 많이 타고 관계에서 불안도가 극심한 사람이다. 그게 나와 가까운 사람 또는 내가 가까워지길 바라는 사람일 경우 더 불안해진다. 나는 사람과 교류를 하면 가까워지면 떠날 것 같아 불안하고 멀어지면 버림받았다고 좌절한다. 전체적으로 보면 타인의 애정에 대해선 확신이 없고 내 감정에 대해선 자신이 없다. 나도 못 믿고 남도 못 믿는데 외로움이 해결이 되지 않는다고 투덜거리는 것도 우스운 말이다. 이런 관계에서 오는 정서적 혼란은 자존감 문제라고들 한다. 그런데 자존감이 높아야된다는 건 알지만 이런 것들이 쉽게 쌓아올려지지는 않는다. 알면서도 좀처럼 쉽게 해결되지 않는 나의 정서적 문제는 나를 더 피로하게 만든다.

나는 내가 가진 이런 정서적인 문제 때문에 항상 안정적인 관계를 희망했다. 나에게 한결같이 반응해서 날 편안하게 만들어주

는 그런 사람이다. 그러나 상대에게서 안정을 원한다면 나도 상대
방에게 안정적인 사람이 되어주어야 하는데 나는 그런 사람이 아
니다. 이런 내가 누군가의 안전기지가 될 수 있을까 의문이다.

　내가 이전에 아이와 상호작용을 해야하는 순간들이 오면 나는
항상 몸을 써서 아이를 다뤄야하는 순간에 한계를 느꼈다. 아이가
위태 위태하게 놀다가 균형을 잃고 쓰러질 것 같을 때 나는 빠르게
아이에게 달려가 아이를 잡아줄 수 없다는 점, 한창 몸을 쓰며 놀
기 좋아하는 혈기왕성한 시기에 나는 아이들의 체력에 맞춰 놀아
줄 수 없었다. 이런 순간에 나는 주로 좌절을 느꼈다.

　지금 결혼을 할 것도, 아이를 낳을 것도 아닌데 위와 같은 고
민을 하는 것도 기우杞憂이다. 그렇지만 만약에 먼 훗날 결혼을 해
서 내가 바라던 안정적인 울타리가 생기고 아이를 낳게 되면 나는
그들에게 어떤 배우자, 엄마가 되어줄 수 있을까? 사실 이 질문에
대한 답이 나올 거라고는 생각하지 않았는데 그럼에도 답을 내야
되겠다고 결심한 건 한 마디때문이었다. "내일 당장 질문에 대한
답이 바뀌어도 괜찮아요. 지금 이 순간에 두루뭉술해도 좋으니 답
을 내보세요. 그렇지 않고 걱정만 한다면 나의 부모가 처했던 상황
속에서 내가 닮기 싫은 가장 최악의 모습을 하고 있을 거예요."

　나는 우리 부모님을 보면서 그리고 오랜 시간 함께한 우리 언
니 커플을 보면서 느낀 좋은 배우자 또는 부모는 관계에 대해 책임
감을 가지는 것, 서로에 대해 이해하는 순간보다 오해하는 순간이
많아도 서로를 그대로 수용해주고 인내해주는 것이다. 책임감이라
는 건 상황이 바뀌어도 변덕을 부리지 않고 한결같은 태도를 유지
하는 거라고 생각한다. 예컨대 연인이라는 가정 하에 처음에는 불

타듯이 사랑해서 이 사람을 위해 무리하고 내 마음을 증명하기 위해 대단한 이벤트를 준비하는 것 보다 하루에 1시간씩 변하지 않고 매일 전화를 주고 받는 것이다.

사람은 관계에 있어서 오해를 하지 않을 순 없다. 또한 매 순간 모든 태도가 서로의 입맛에 맞을 수도 없다. 그렇지만 이런 순간에 누군가는 상대의 태도를 수용하고 인내해주는 것이 필요하다. 다만, 상대방을 위한 나의 헌신이 나를 아프게 해서는 안된다.

이렇듯 안정적인 관계는 쉽게 변덕부리지 않는 데서 오고 이런 안정은 서로를 신뢰하는 데서 오는 것이다. 나는 안정적인 관계를 위해 상대방에게 책임감을 다 하는 사람, 상대방을 다 이해할 순 없어도 인내해줄 수 있는 사람이, 그런 파트너가, 양육자가 되고 싶다.

9. 지금은 연락을 하지 않는 누군가와 다시 만날 기회가 주어진다면 내가 그 사람에게 해주고 싶은 말은?

시절인연이라는 말이 있다. 뭐든 만나게 될 때면 만났다가 헤어질 때가 되면 헤어진다는 것이다. 나에게도 이유야 어찌됐든 지금은 연락이 닿지 않는 시절인연들이 있다. 나는 그들에게 다시 만날 기회가 주어진다면 나는 그들에게 어떤 말을 해주고 싶을까?

"너 덕분에 재밌었어."
10대 초, 학창시절에 만난 친구가 있었다. 그 친구는 나에게

10대 초, 학창시절에 만난 친구가 있었다. 그 친구는 나에게 먼저 다가와 말을 걸어주었고 나는 그 애가 먼저 손을 내밀어준 것이 참 좋았다. 그 친구 덕에 만들었던 추억들은 재밌었고 유별나진 않아도 나에게 소중한 것들이었다. 처음으로 친구와 단 둘이 시내로 놀러나가 떡볶이를 먹고, 노래방을 가고 빙수도 먹는 것이 그때 당시 나에게는 그 자체로 큰 의미로 다가왔다.

"너 덕분에 많이 성장할 수 있었어."

20대 때 만나게 된 친구가 있었다. 그 친구는 처음 봤을 때부터 특유의 상냥함과 섬세함으로 날 편안하게 만들어주었다. 내가 힘든 상황에선 내 얘기를 다 들어주었고 필요하다면 나에게 도움이 되는 말을 해주었다. 내가 생각이 많고 걱정이 많아보이면 내 생각을 가볍게 덜어낼 수 있도록 조언을 해주기도 했다.

그때 당시 나에게 영향력이 큰 사람들은 하나같이 나에게 안정됨을 느끼게 해주었다. 내가 나여도 괜찮다고 태도로 말을 해주는 이들이었다. 그들과는 시간이 지남에 따라 입장이 달라져서 멀어졌다. 그들과 멀어지며 내가 미성숙했던 부분에 대해서도 다시 한번 생각해볼 수 있게 되었다. "내가 배려라고 생각하고 한 말과 행동들이 상대방에게는 배려가 아닐 수도 있구나." "친구라고 나의 모든 걸 다 받아주고 들어줄 이유는 없구나." 으레 접할 수 있는 정론들이지만 막상 내가 내 피부로 체감을 하니 그 뜻이 남다르게 와닿을 수 밖에 없었다.

모든 관계의 첫 시작은 들뜨고 설렐 수 밖에 없다. 이 사람과 일상을 공유하는 게 즐겁고 상대에 대해 모르는 것 없이 알고 싶은 마음이 든다. 하지만 관계가 깊어지면 서로는 약점을 드러내게 된다. 상대와 나의 차이가 불편해지게 될 수도 있는 시점이 찾아온 것이다. 가령 뚜렷한 자기주관이 매력이었던 사람이 남의 말을 듣지 않는 고집불통처럼 느껴지는 때가 있는 것이다.

서로의 약점이 드러날 때 관계를 유지시키기 위해 필요한 건 인내심과 이해심이다. 상대의 약점을 참아줄 마음이 바닥나면 관계는 종결되는 것이다.

이런 깨달음을 얻을 수 있었던 건 미성숙한 시절에 만난 인연들 덕이다. 개인적으로 예전보다 성숙해진 때에, 좀 더 마음이 넉넉해진 때에 다시 과거의 인연을 재회하게 된다면 서로를 더 잘 이해할 수 있는 여유를 지니고 또 언제나처럼 웃으며 추억을 공유할 수 있었으면 하는 바람이 있다..

10. 좋은 사람이 뭐라고 생각하세요?

어떤 사람이 좋은 사람인지에 대해서는 각자가 생각하는 게 다를 것이다. 다만, 옛 성인군자들이 말하는 절대적으로 선한 사람, 인간의 본성은 성선하다는 철학적인 논의는 증명할 수 없다고 생각한다. 나는 선의로 한 것이지만 결과가 악의적이라면 그 사람은 과연 선한 사람이라고 할 수 있을까? 그렇지 않을 수도 있다. 또한 인간은 자기가 스스로 선하다고 생각하는 순간 남들을 자기가 정한 선의 기준에 끼워맞추려고 하기 때문에 이는 결국 오만한 태도에 불과하다.

그럼에도 각자의 기준에서 생각하는 좋은 사람은 있을 것이다. 내가 생각하는 나에게 좋은 사람은 나에게 멘토같은 역할을 해주는 사람이다. 나의 상황에 맞는 말을 시의적절한 때에 해주는 그런 사람들이 있다. 그런 사람들이 바로 내가 위에 9가지 질문들을 하며 나온 사람들이다. 질문들에 대한 답을 하기 전 서두에 얘기했던 나는 왜 남들에게 좋은 사람으로 비춰지는 것일까? 라는 물음에 대한 답은 내가 좋은 관계와 나의 상황을 이해해주는 데서 오는 따뜻한 말을 듣고 내가 성장했기 때문에 성장한 나의 모습을 남들은 좋은 사람이라고 바라봐주는 것 같다. 나는 앞으로도 좋은 사람을 경험하고 그들의 이야기를 통해 남들이 나에게 그러했듯 나 또한 남들에게 멘토가 될 수 있는 사람이고 싶다.

해니

여기, 내가 그대로 있어요

발행 | 2023년 12월 18일

저자 | 반소연, 이진형, 함유선, 박상빈, 현정, 여이진, 와이, 감성, 목려니, 해니

펴낸이 | 이창현

디자인 | 비파디자인

펴낸곳 | 고유

출판사 등록 | 2022. 12. 12 (제2022-000324호)

주소 | 서울특별시 마포구 와우산로3길 29 2층

전화 | 070-8065-1541

이메일 | goyoopub@naver.com

ISBN | 979-11-93697-00-9 (03810)

www.goyoopub.com